> Actualiza
y repara tu PC

Título de la obra original:
PC Upgrading and Troubleshooting QuickSteps

Responsable Editorial:
Eugenio Tuya Feijoó

Traducción:
José Luis Gómez Celador

Diseño de colección:
Mario Durrieu- Walter Tiepelmann

Ilustración de cubierta:
Blanca López-Solórzano Fernández

> Actualiza y repara tu PC

> Kirk Steers

Authorized translation from the English Language edition entitled PC
Upgrading and Troubleshooting QuickSteps by Kirk Steers,
published by McGraw-Hill/Osborne.
Copyright © 2005 by The McGraw-Hill Companies.
All rights reserved.

Edición española:

© EDICIONES ANAYA MULTIMEDIA
   (GRUPO ANAYA, S.A.), 2005
   Juan Ignacio Luca de Tena, 15.
   28027, Madrid
   Depósito legal: M. 39.829-2005
   ISBN: 84-415-1950-1
   Printed in Spain
   Imprime: Varoprinter, S.A.

OCIO DIGITAL

> Para Gogs y Gail, mis guías, ahora y siempre.

> Agradecimientos

Me gustaría agradecer especialmente a Rags y Miso por su apoyo incondicional, a Karen Weinstein por sus ediciones técnicas, muy agradecidas pero siempre sujetas al presupuesto; a Margie McAneny y Agatha Kim por sus consejos y todos los de la editorial sin cuya ayuda este libro no sería lo que es.

> Sobre el autor

Kirk Steers ha escrito obras relacionadas con la tecnología y el mundo de la empresa desde hace más de 10 años. Su trabajo ha aparecido en revistas, periódicos y sitios Web, como por ejemplo en *PC World*, *Newsweek*, *CD-ROM Today*, *Family Circle's Computers Made Easy*, *Mutual Funds Magazine*, AOL y CNN. Actualmente es editor adjunto de la revista PC World y autor de la conocida columna sobre trucos de hardware. Vive en Oakland, California con su piraña disecada Ruprecht.

> Índice de Contenidos

> CAPÍTULO 6. SOLUCIONAR PROBLEMAS RELACIONADOS CON GRÁFICOS, JUEGOS Y SONIDO 127

> CAPÍTULO 7. CORREGIR PROBLEMAS DE INTERNET 151

> Introducción

Introducción

Pregúntese si concede a la actualización y reparación de su ordenador personal la misma importancia que a la declaración de la renta. No debería. No es necesario ser un experto en informática para mantener actualizado un PC y que funcione correctamente. Si la inclusión de una unidad de DVD, la protección de su ordenador frente a virus y correos basura, o simplemente que su equipo se ejecute con rapidez y sin problemas le parecen tareas imposibles, podemos garantizarle que no lo son. Únicamente hace falta el consejo adecuado, exactamente el objetivo para el que se ha creado este libro.

Las sencillas instrucciones paso a paso convenientemente ilustradas le explicarán las tareas de actualización y resolución de problemas más habituales sin recurrir a complejos términos y definiciones técnicas. El objetivo es que realice las tareas de la forma más rápida y sencilla posible.

En el primer capítulo le ofrecemos una breve introducción del funcionamiento de su equipo y de la forma de solucionar problemas generales. De esta forma los no iniciados contarán con la información básica necesaria para realizar las tareas de actualización y reparación descritas en el libro. El capítulo sobre copias de seguridad debería ser obligatorio para todos los lectores ya que, a largo plazo, comprobará que es el de mayor utilidad, si sigue nuestros consejos. El tercer capítulo ofrece distintas medidas de prevención para evitar laboriosas reparaciones. En los cuatro siguientes capítulos le enseñaremos a solucionar los problemas más habituales que encontrará el usuario medio. En los dos últimos capítulos, analizaremos las actualizaciones más comunes, incluyendo la inclusión de un disco duro o de una unidad de DVD, más memoria y una red inalámbrica.

CONVENCIONES UTILIZADAS EN EL LIBRO

En el libro se utilizan distintas convenciones orientadas a facilitar la lectura del mismo. Destacamos las siguientes:

- Se utiliza una fuente en **negrita** para palabras que aparecen en la pantalla y le indican dónde debe pulsar, como por ejemplo Haga clic en **Guardar como** o **Abrir**.

- Las combinaciones de teclas y las teclas concretas se expresan en negrita, como **Intro** o **Mayús**.

- Cuando tenga que introducir un comando, le indicaremos que pulse las correspondientes teclas. Si tiene que introducir texto o números, le indicaremos que los escriba.

- Cuando haya que ejecutar un comando de menú, éste se expresará con el siguiente formato: Seleccione **Archivo>Abrir**.

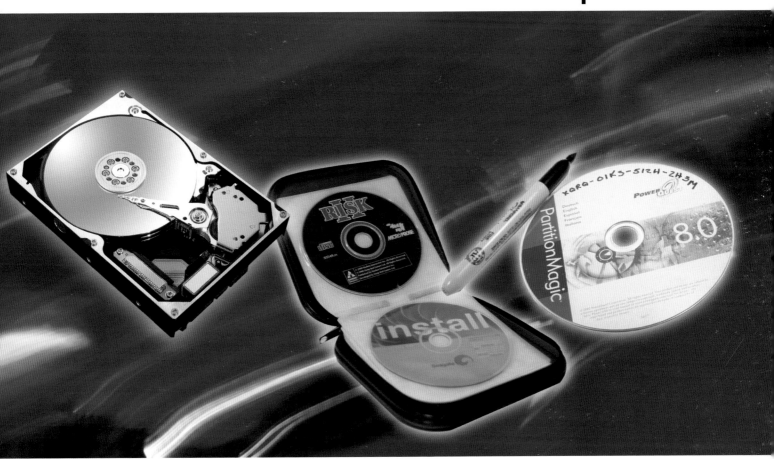

Solucionar problemas del PC

> Capítulo 1. **Solucionar problemas del PC**

Es probable que tenga problemas con su ordenador. No se preocupe, no es el único; tarde o temprano todos nos enfrentamos a algún tipo de dificultad informática. Cuando suceda, no pierda los nervios, ya que existen numerosas soluciones. Al contrario de lo que se piensa, trabajar con un ordenador no es nada complicado.

Esto no quiere decir que pueda solucionar todos los problemas con un simple clic del ratón o una rápida vuelta de destornillador. Sin embargo, con la correcta preparación y los consejos adecuados, el usuario medio puede conseguir un funcionamiento más que correcto del ordenador sin tener que recurrir al servicio técnico o sentir la humillación de llamar a un sobrino de 12 años.

FUNDAMENTOS DE LA RESOLUCIÓN DE PROBLEMAS

La reparación de un PC no es Física nuclear aunque debe realizarse con cierta preparación y una elevada dosis de precaución. A continuación le vamos a ofrecer una serie de reglas básicas garantizadas para ahorrarle tiempo, disgustos e incluso algunos euros.

Tomar precauciones

Tanto el usuario como el ordenador son seres delicados, por lo que debe tomar las debidas precauciones para evitar descargas eléctricas antes de abrir la carcasa de su PC. No sólo debe apagar el ordenador, sino que debe quitar el enchufe de la parte trasera. Y la posible descarga eléctrica no sólo le afectará físicamente sino que puede acabar con su ordenador. El simple paso por una alfombra puede generar la suficiente electricidad estática como para dañar permanentemente los circuitos internos del PC con tan sólo tocarlo.

! ADVERTENCIA: Los ordenadores no reaccionan bien a golpes, sacudidas y movimientos bruscos. Si le resulta complicado quitar la tapa de su PC una vez desenroscados los tornillos, no golpee ni empuje la cubierta para desplazarla. Es mejor utilizar un destornillador para ir abriéndola suavemente.

Abrir la carcasa del ordenador de forma segura

Muchos problemas de su PC se pueden corregir sin tener que abrir la carcasa pero en ocasiones no queda otra opción. En primer lugar, decida qué herramientas va a utilizar. Examine los paneles laterales y trasero de la carcasa. Los paneles laterales de muchos PC modernos se deslizan con un suave movimiento o con pulsar un botón. Si el mecanismo de apertura no le parece sencillo, consulte el manual de instrucciones de su ordenador.

En otros modelos, tendrá que quitar varios tornillos que sujetan la carcasa a la parte trasera del chasis del ordenador. Para ello bastará con un sencillo destornillador.

TRUCO: Siempre que quite los tornillos de su ordenador, por ejemplo al abrir la carcasa o al desmontar un disco duro, guárdelos en un lugar seguro. Estos diminutos tornillos desaparecen continuamente. Puede utilizar un vaso de papel, la tapadera de un bote o un sobre.

Para proteger el interior de su PC de la electricidad estática, necesitará una pulsera de toma de tierra como la mostrada en la figura 1.1. Un extremo de la pulsera se coloca alrededor de la muñeca y el otro, cerca de una toma de tierra próxima. Puede conseguir este utensilio, junto con las instrucciones de uso, en cualquier tienda de informática por menos de 15 euros.

Figura 1.1.
Una pulsera de toma de tierra protege a nuestro equipo de las temibles descargas de electricidad estática.

Antes de abrir la carcasa, desenchufe todos los cables conectados al PC. No sólo debe desenchufar el cable de alimentación, sino también el cable telefónico conectado al módem o el cable de red conectado a su conexión a Internet por cable o DSL.

Evite empeorar las cosas

No pierda los nervios, incluso si tiene que entregar un informe al día siguiente y parece que el PC está dispuesto a arruinar su carrera. La resolución de los problemas informáticos debe realizarse de forma ordenada y sistemática. El uso aleatorio de botones y el cambio indiscriminado de parámetros puede resultar más dañino que positivo. Si empieza a desesperarse, aléjese del ordenador, tómese un café, lea este libro y siga el siguiente paso.

Evite quemar sus naves

No realice cambios que no pueda deshacer. Si tiene pensado modificar la configuración o instalar un nuevo controlador en Windows, asegúrese de grabar la configuración anterior o los controladores existentes. Del mismo modo, si va a sustituir un archivo por otro nuevo, no elimine el antiguo. Cambie el nombre y añádale un 1, o cualquier otro número o letra, al final del nombre. (Para ello puede hacer clic con el botón derecho del ratón sobre el nombre del archivo y seleccionar **Cambiar nombre**.) Si vuelve a necesitar el archivo original, le resultará más sencillo localizarlo.

Tampoco olvide nunca la regla básica de la resolución de problemas: haga copias de seguridad de todo, dos veces. Incluso después de actualizar o reparar satisfactoriamente su ordenador, suele ser habitual descubrir que algunos archivos importantes han desaparecido inexplicablemente.

Compruebe lo evidente

En muchos casos, un problema informático tiene un origen realmente sencillo y obvio. Resulta sorprendente las veces que el cable de alimentación está desenchufado, que el cable del monitor está suelto o que el CD se encuentra al revés en la unidad. Por ello, antes de malgastar tiempo y energía buscando un resorte oculto o cambiando complicados parámetros de configuración, repase la siguiente lista:

• ¿Está todo enchufado? Compruebe todas las conexiones y asegúrese de que están bien encajadas. Si no está seguro, desenchúfelas y vuélvalas a conectar. Si la pantalla no se ve, revise los dos extremos de los cables de alimentación, tanto de la carcasa como del monitor. Si el PC está conectado a un protector, compruebe que éste está enchufado y que funciona correctamente; en ocasiones los protectores y las regletas cuentan con fusibles o circuitos que pueden desactivarse por accidente.

• Apague y encienda el PC. Haga lo mismo con el monitor, la impresora o el dispositivo en cuestión. Le parecerá ridículo pero se sorprendería si supiera con qué frecuencia se puede solucionar un problema apagando y encendiendo todo.

• Compruebe que no haya CD, DVD o disquetes en las unidades; puede que el PC esté buscando un archivo que no existe.

• Fíjese en qué ha cambiado. Muchos problemas se deben a que se ha modificado algún elemento del ordenador.

Recuerde si ha instalado o desinstalado programas o hardware últimamente, si ha cambiado el ordenador o si ha se han producido cortes de luz mientras el PC estaba funcionando. Este tipo de cosas constituyen pistas excelentes para rastrear el origen de cualquier problema. En caso de que sea posible, intente deshacer los cambios; Windows XP incorpora distintas herramientas como las de restauración del sistema que le ayudarán a recuperar una configuración correcta del PC.

Sea organizado

La Ley de Murphy también se aplica a los ordenadores. Los PC siempre se estropean en el transcurso de una tarea importante. Para reparar correctamente su PC de la forma más rápida posible, tendrá que ser metódico y ordenado. Si dispone de todas las herramientas y la información necesaria podrá ahorrarse horas e incluso días de trabajo:

1. Guarde todos sus CD en el mismo lugar. Lo último que necesita para enfrentarse a un problema es buscar un CD de Windows o de un programa imprescindible, y que no aparezca. Una forma sencilla de controlar todos sus CD consiste en guardarlos en un estuche de CD de audio. Son muy económicos y podrá conseguirlos en distintos tamaños (véase la figura 1.2), por menos de seis euros. Al pasar los CD al estuche, fíjese en la funda o en la caja donde los tenga, ya que puede haber anotado un número de serie en la portada. Guarde este número.

Figura 1.2.
Un estuche para CD le permite guardar todos sus programas en el mismo sitio.

2. Guarde todas las descargas de software en el mismo lugar. Durante la resolución de problemas, seguramente tenga que descargar una actualización de software o un controlador del sitio Web de un fabricante. Cree una carpeta para descargas en su disco duro y guarde todos los archivos descargados en la misma. Para crear una nueva carpeta en Windows, haga clic con el botón derecho del ratón sobre **Inicio**, seleccione **Explorar** y haga clic en la unidad en la que desee guardar su carpeta (muchos usuarios de Windows utilizan la unidad local C: o similar). Tras ello, seleccione **Archivo>Nuevo> Carpeta** en el menú situado en la parte superior de la pantalla.

3. Escriba todos los datos del problema: qué programas estaba utilizando cuando se produjo, si aparece constantemente o qué aparece exactamente en la pantalla. Tome nota de todos los mensajes de error o comportamientos extraños. Todos estos datos le serán muy útiles cuando solicite ayuda de terceros.

4. Como en el caso anterior, mantenga un registro de todo lo que hace para intentar reparar su PC. Anote lo que ha hecho, como por ejemplo la instalación de un parche de software o la modificación de un parámetro de Windows, y los efectos producidos en el comportamiento del PC.

> **! ADVERTENCIA:** Le recomendamos que guarde los números de serie o de registro de sus programas en un lugar seguro, ya que los necesitará para volver a instalar el programa en cuestión. Si los pierde, puede que tenga que volver a comprar el software. Una forma muy útil de guardar el CD y el número de serie consiste en escribir el número sobre el CD (en la cara de la etiqueta) con un rotulador, como se indica en la figura 1.3.

Figura 1.3.
Escriba el número de serie del programa en el CD para no perderlo.

Saber cuándo solicitar ayuda

No debe olvidar que algunos problemas informáticos no tienen solución y que muchos otros requieren la participación de un experto. Por ello, no malgaste su tiempo en intentar reparar los errores por su cuenta. Sepa cuándo pedir ayuda. Si se da cuenta de que ha dedicado todo un día a solucionar un problema, deberá replantearse la situación. Mejor todavía: póngale precio a su tiempo y decida cuánto tiempo (y, por tanto, dinero) desea gastar antes de empezar a solucionar el problema. Tras ello, limítese a su decisión. En un momento dado, una llamada al servicio de asistencia técnica o una visita a la tienda le parecerán la solución perfecta.

Servicios de asistencia técnica

- **No espere a llamar:** Los ordenadores y el software padecen extraños problemas que son específicos de cada fabricante de ordenadores, de cada programa o de cada dispositivo periférico. La forma más rápida, en ocasiones la única, de solucionar estos problemas consiste en acudir al servicio de asistencia técnica. Si ha intentado corregir el problema, por ejemplo con los consejos de este libro, sin éxito, haga la llamada. Evidentemente, estos servicios pueden resultar costosos pero si el ordenador, el programa o el dispositivo que da problemas tienen menos de un año, es muy probable que siga en garantía. El número del servicio de asistencia técnica suele incluirse en el manual del fabricante o en el sitio Web de la empresa.

- **Sea educado:** Los servicios técnicos pueden volvernos locos. Pero descargar nuestra ira y frustración sobre ellos reducirá sin duda las posibilidades de corregir satisfactoriamente el problema.

- **Sea meticuloso:** Si no se siente cómodo con el servicio de asistencia o cree que le están dando largas, pida educadamente la opinión de otro profesional. Los técnicos que suelen coger la llamada no siempre son los mejores; a menudo están entrenados para reparar los problemas más habituales y se basan en una especie de guión. Conviene darles una primera oportunidad pero no dude en pedir otra opinión si no está conforme. Si cree que un técnico no sabe qué está haciendo, seguramente sea cierto. No le importe colgar, volver a llamar y hablar con otro técnico. Algunos son mucho mejores que otros.

- **Haga sus deberes:** Puede ahorrar mucho tiempo si dispone de toda la información antes de hablar con el técnico. Para empezar, busque su problema en la red. La mayor parte de los fabricantes ofrecen bases de datos de las preguntas más habituales (FAQ) en su sitio Web. La base de conocimientos de Microsoft (véase la figura 1.4) también puede resultarle de ayuda. Si el problema es habitual, seguramente encuentre una solución rápida o información básica para empezar a solucionarlo. Además, antes de realizar la llamada, tenga a mano el modelo y el número de serie de su ordenador o dispositivo, la versión de Windows que utilice y una descripción del problema.

- **Lea entre líneas:** En ocasiones, un técnico sabe más de lo que nos dice o, para ser más precisos,

más de lo que debe decirnos. Pero como a todos los demás, les gusta demostrar lo que saben. Conseguir información adicional por parte de un técnico puede resultar muy útil.

ENTENDER EL PC: ELEMENTOS INTERNOS

Realmente no es necesario conocer todos los detalles sobre el funcionamiento de un ordenador para repararlo. Sin embargo, conviene estar familiarizado con sus componentes básicos, dónde se encuentran y cómo funcionan. A continuación le ofrecemos una sencilla lección de anatomía para que aprenda justo lo que necesita saber. La siguiente ilustración le muestra la configuración de una placa base y de los conectores de un ordenador de sobremesa convencional.

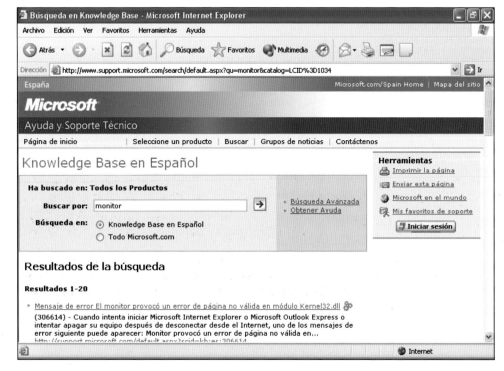

Figura 1.4.
La base de conocimiento de Microsoft es un buen punto de partida.

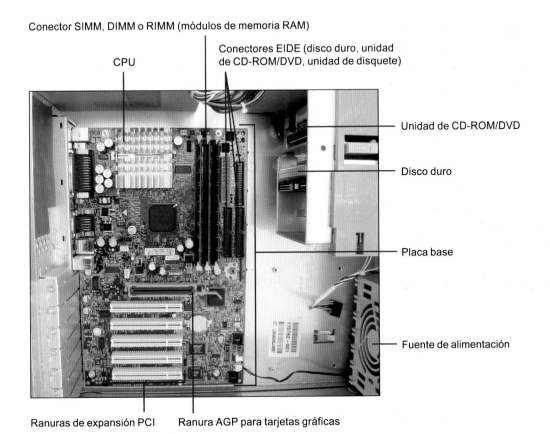

Conector SIMM, DIMM o RIMM (módulos de memoria RAM)

CPU

Conectores EIDE (disco duro, unidad de CD-ROM/DVD, unidad de disquete)

Unidad de CD-ROM/DVD

Disco duro

Placa base

Fuente de alimentación

Ranuras de expansión PCI   Ranura AGP para tarjetas gráficas

¿QUÉ SE ESCONDE EN EL INTERIOR?

En ocasiones resulta muy útil saber exactamente qué se esconde en el interior de un PC: cuánta memoria tiene, cuál es la marca y el modelo de la tarjeta gráfica, qué CPU utiliza, etc. Afortunadamente, puede conseguir muchas respuestas sin necesidad de abrir su ordenador.

La utilidad Información del sistema de Windows ofrece numerosos datos sobre muchos de los componentes del PC. En Windows XP, ejecute los comandos Inicio>Todos los programas>Accesorios>Herramientas del sistema>Información del sistema.

Seleccione Resumen del sistema para ver el fabricante del ordenador, el número del modelo y la cantidad de RAM instalada. No se deje intimidar por los datos técnicos, ya que también encontrará información muy útil. Haga clic en el signo más situado junto a Componentes para acceder a la lista de dispositivos de su equipo. Si por ejemplo selecciona Mostrar, descubrirá el fabricante de su tarjeta gráfica, la cantidad de memoria RAM y el número de versión del programa controlador que ejecuta la tarjeta.

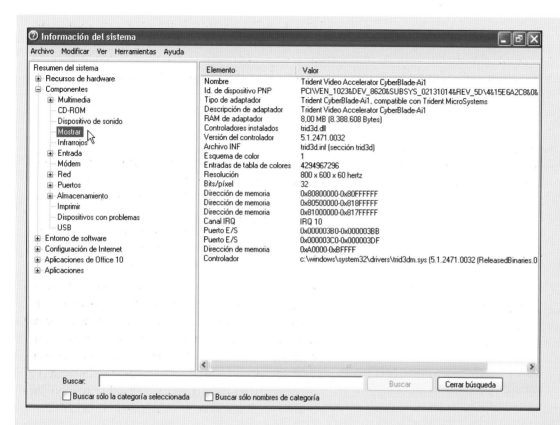

La utilidad Información del sistema es parte de Windows XP, es gratuita y está siempre a su disposición. No obstante, tendrá que realizar un esfuerzo adicional si necesita información más concreta. Una alternativa más sencilla de utilizar es Belarc Advisor. Esta utilidad de auditoría informática también es gratuita aunque tendrá que descargarla del sitio Web de Belarc (http://www.belarc.com/free_download.html) y seguir las instrucciones de instalación. Le ofrece multitud de datos importantes sobre su ordenador en un formato fácil de entender.

Placa base, CPU y RAM

El corazón de un ordenador está formado por la CPU, la memoria RAM y la placa base en la que se encuentran ambos componentes.

La placa base y la CPU

La placa base es el motor del PC; conecta a todos los dispositivos entre sí y actúa como un agente de tráfico controlando el flujo de datos del PC. Por ejemplo, al pulsar una tecla del teclado, éste se pone en contacto con la placa base, la placa base se comunica con la tarjeta gráfica que, a su vez, muestra la letra en el monitor del ordenador. Todos los dispositivos del ordenador, incluyendo el monitor, el teclado, el ratón, el módem o la impresora, se conectan directamente a la placa base o lo hacen por medio de un cable.

Si abre la carcasa de su PC lo primero que verá es la placa base, una gran placa de circuitos cubierta por chips, tarjetas y cables. El manual de su PC seguramente incluya un diagrama de la placa base en el que se identifican los conectores, ranuras y demás elementos de la misma.

La CPU es el cerebro del ordenador y se encarga de todas las operaciones de cálculo. Es el chip de mayor tamaño de la placa base y resulta fácil de identificar; suele estar protegido por un dispositivo enfriador, ya sea un pequeño ventilador o una pieza metálica con una especie de aletas que recibe el nombre de disipador térmico.

TRUCO: ¿Se le ha perdido el manual de instrucciones? ¿Nunca lo tuvo? No se preocupe. Casi todos los fabricantes de PC ofrecen sus manuales de usuario en forma de descarga. Desplácese hasta el sitio Web del fabricante y busque una sección de descargas o de asistencia técnica. Para consultar el manual descargado seguramente necesite el programa Acrobat Reader de Adobe, que puede descargar de forma gratuita en www.adobe.com.

Memoria de acceso directo (RAM)

La RAM de su PC, es decir, la memoria de acceso aleatorio, permite al ordenador almacenar información mientras trabaja. Al escribir un correo electrónico, buscar una página Web o editar una fotografía, el PC almacena en la RAM los datos que constituyen estos archivos. Cuanta más memoria RAM tenga, de mayor espacio dispondrá para manipular datos y, por lo tanto, realizará las tareas a mayor velocidad.

Conectores de la placa base

A la hora de reparar o actualizar un PC, puede que tenga que añadir o desinstalar un disco duro, memoria RAM u otro producto de hardware. Afortunadamente, todos estos dispositivos cuentan con un conector en la placa base. A continuación describimos los cinco tipos de conectores que tendrá que reconocer:

- **Ranuras PCI:** Todos los PC incorporan al menos una, y habitualmente dos o tres ranuras PCI. Son los conectores estándar para módem, tarjetas de red, tarjetas de sonido y muchos otros dispositivos adicionales. Las ranuras de plástico suelen tener tres pulgadas de longitud. Algunos ordenadores más modernos incorporan ranuras PCI Express, versiones más actualizadas y rápidas de la ranura PCI convencional.

- **Ranura AGP:** Muchos PC cuentan con una ranura AGP especial para tarjetas gráficas. Se encuentra junto a las ranuras PCI en la placa base, es más corta que éstas y suele tener un color oscuro (véase la figura 1.5).

- **Conectores EIDE (también denominados conectores ATA):** Los discos duros, unidades de CD-ROM y DVD, y las unidades de disquete utilizan un cable EIDE que se conecta a los conectores EIDE (rectangulares y de color negro) de la placa base, como se indica en la figura 1.6.

La mayoría de las placas base tiene dos conectores EIDE y cada uno puede admitir hasta dos dispositivos en el mismo cable.

Figura 1.5.
La ranura AGP es más corta que las PCI y sólo acepta tarjetas gráficas.

- **Conectores SATA:** Los nuevos modelos de PC utilizan conectores SATA para discos duros y unidades ópticas. Los cables SATA son mucho más estrechos que los cables EIDE.

- **Conectores SIMM, DIMM o RIMM:** Los módulos de memoria RAM del ordenador se introducen en estos conectores (véase la figura 1.7).

Figura 1.6.
Los discos duros, unidades de CD-ROM y DVD, y unidades de disquete utilizan este cable para conectarse al puerto EIDE de la placa base.

Figura 1.7.
Los módulos RAM se introducen en los conectores de la placa base.

El disco duro

El disco duro es el sistema de clasificación del PC. Los datos se almacenan de forma permanente en un medio magnético que no requiere alimentación. Por ello, al contrario de lo que sucede con la RAM, los datos almacenados en el disco duro no desaparecen al apagar el ordenador.

Los discos duros se guardan en carcasas metálicas rectangulares como la reproducida en la figura 1.8. Tienen el tamaño de una novela de bolsillo y están firmemente sujetos a la carcasa del PC. Comprobará que cuentan con dos cables, un cable EIDE conectado a la placa base y un cable de alimentación.

Los discos de medios magnéticos que almacenan los datos giran a una velocidad de hasta 7.200 revoluciones por segundo y están separados de las cabezas de lectura y escritura que desplazan los datos una distancia menor a la anchura de un cabello humano. Por este

motivo son tan sensibles a los golpes y deben manipularse con extremo cuidado.

Figura 1.8.
Un único disco duro no puede almacenar todas las obras de la Biblioteca Nacional, todavía.

Unidades de CD-ROM y DVD

Las unidades de CD-ROM y DVD utilizan un rayo de luz para leer y escribir datos de y en discos extraíbles. Estas unidades están sujetas al interior del PC por medio de bahías, unos soportes metálicos incorporados al chasis del ordenador. Al igual que los discos duros, estas unidades cuentan con un cable de alimentación conectado a la fuente de alimentación y un cable EIDE (o un cable SATA) conectado a la placa base.

Tarjetas

Los módem, las tarjetas de red, las tarjetas de red inalámbricas, las tarjetas gráficas y muchos otros tipos de tarjetas de expansión se conectan a las ranuras PCI (o PCI Express) de la placa base del ordenador. En la figura 1.9 se reproduce una tarjeta de sonido PCI. A menudo, estas tarjetas añaden un puerto o un conector al que se puede acceder desde el exterior del ordenador. Por ejemplo, un módem se introduce en una ranura PCI y añade entradas de teléfono en la parte trasera del ordenador. Los tipos de tarjetas de expansión más habituales son los siguientes:

- **Módem:** Permiten al PC comunicarse con otros equipos a través de la red telefónica.

- **Tarjetas de red Ethernet:** Permiten al ordenador comunicarse con otros equipos por medio de un cable de red especial que se conecta a la parte trasera del PC. Si dispone de una conexión a Internet de alta velocidad, como DSL o cable, el cable que discurre desde el módem DSL o cable hasta la parte posterior del PC es un cable Ethernet conectado a una tarjeta de red.

- **Tarjeta gráfica:** Se encarga de crear la imagen que vemos en el monitor. Windows decide lo que reproduce y envía los datos de imagen a la tarjeta gráfica. Ésta, a su vez, ensambla la imagen y la envía al monitor. El cable que discurre desde el monitor hasta la parte posterior del PC está conectado a un conector VGA, que forma parte de la tarjeta gráfica. La mayoría de tarjetas gráficas utilizan el conector AGP de la placa base pero algunas, sobre todo en equipos antiguos, utilizan ranuras PCI.

- **Tarjeta de sonido:** Realiza dos funciones. Por un lado, traduce sonidos externos, como los de un micrófono, a formato digital que el PC pueda utilizar. Por otra parte, traduce archivos de sonido digitales, como archivos MP3 o WAV, en señales analógicas que pueden escucharse por los altavoces del ordenador. Los pequeños puertos circulares de la parte externa de la tarjeta de sonido permiten conectar altavoces y micrófonos.

Figura 1.9.

Las tarjetas de expansión como esta tarjeta de sonido se introducen en las ranuras PCI de la placa base.

NOTA: Muchos ordenadores modernos, en especial los modelos más económicos y de gama media, incorporan las funciones gráficas, de sonido e incluso de red, en la propia placa base. Por este motivo, puede que disponga de puertos en la parte exterior del ordenador pero sin una tarjeta instalada.

ENTENDER EL PC: ELEMENTOS EXTERNOS

Los teclados, impresoras, cámaras digitales y demás dispositivos que se conectan al exterior del ordenador no necesitan explicación alguna. Sin embargo, la multitud de conectores que utilizan puede resultar un tanto confusa. Un rápido examen a la parte trasera de la carcasa lo confirma; verá al menos cinco tipos de conectores diferentes o incluso más, como puede apreciar en la imagen.

Conexiones externas del PC

- **Puertos USB (Bus serie universal):** La conexión más usada para la mayoría de dispositivos periféricos. Encontrará dos puertos USB en la parte trasera de muchos ordenadores de escritorio y, en algunos modelos, un puerto adicional en la parte frontal. Existen dos versiones de puertos USB: USB 1.1, que encontrará en PC más antiguos, y USB 2.0.

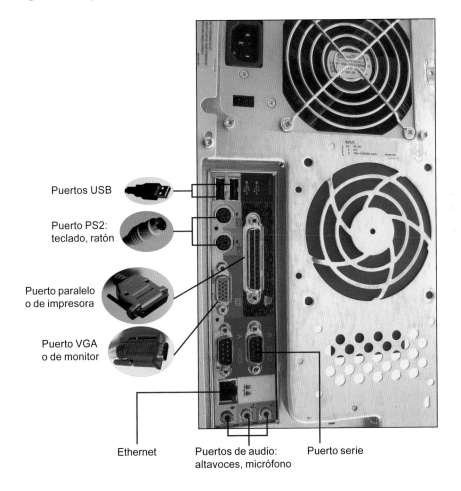

Puertos USB

Puerto PS2: teclado, ratón

Puerto paralelo o de impresora

Puerto VGA o de monitor

Ethernet

Puertos de audio: altavoces, micrófono

Puerto serie

Los conectores y puertos de cada versión son idénticos y la mayoría de los dispositivos USB funcionan con cualquiera de las versiones. Sin embargo, los dispositivos que necesitan transferir una gran cantidad de datos de forma rápida, como los discos duros externos o las cámaras digitales, funcionan mejor con la nueva versión 2.0.

- **Puertos VGA:** La mayoría de los monitores y pantallas LCD se conectan a este pequeño puerto trapezoidal situado en la parte trasera del ordenador. El conector situado al final del cable del monitor tiene una especie de pinchos y el puerto VGA del ordenador tiene orificios. En ordenadores de gama alta, el puerto VGA está conectado a la tarjeta gráfica instalada en el interior del PC.

- **Puertos paralelos:** Este estrecho puerto sigue presente en muchos ordenadores pero está siendo sustituido por conexiones USB. Si tiene una impresora o un escáner antiguo, puede que utilice un puerto paralelo.

- **Puertos Serie:** Al igual que los puertos paralelos, este conector desaparecerá en favor de conexiones USB.

- **Puertos Firewire:** Los puertos Firewire sólo se encuentran en algunos ordenadores pero se pueden añadir a un PC mediante la instalación de una tarjeta de expansión PCI. Su capacidad para desplazar grandes cantidades de datos los convierte en conexiones excelentes para descargar vídeo de cámaras de vídeo digitales y para ejecutar discos duros externos.

Algunas cámaras digitales de vídeo necesitan un puerto Firewire para descargar vídeo al ordenador.

- **Puertos RJ-11:** Es la palabra técnica para describir el conector de teléfono estándar que une el teléfono al módem del PC.

- **Puertos RJ-45:** Más vocabulario técnico, en esta ocasión para denominar al puerto Ethernet que conecta el ordenador con el módem DSL o cable, u otros ordenadores en red.

ENTENDER EL PC: WINDOWS Y LA BIOS

Si la placa base, la CPU y el hardware que acabamos de describir son el corazón y el cerebro de nuestro ordenador, Windows podría ser la personalidad del mismo. Es la cara que ofrece al mundo y que utiliza para comunicarse con nosotros y con otros programas de software. Por ejemplo, al escribir un correo electrónico, escribimos el mensaje mediante un programa de correo electrónico. Cada vez que escribimos una tecla, el programa de correo electrónico indica a Windows que se ha introducido una letra, y Windows insta a la tarjeta gráfica a que muestre la letra introducida en el ordenador. Del mismo modo, al enviar el correo electrónico, Windows actúa como mediador, y controla al hardware del ordenador para que el mensaje se envíe correctamente.

Windows nos ofrece distintas herramientas que encontrará de gran utilidad a la hora de solucionar problemas.

Mantener Windows actualizado

Windows es un producto en constante evolución; Microsoft publica habitualmente actualizaciones para corregir fallos y añadir novedades mejoradas. La descarga e instalación de las últimas actualizaciones para nuestro PC son tareas sencillas. Seleccione **Inicio> Ayuda y soporte técnico** y, bajo **Elegir una tarea**, haga clic en **Mantenga actualizado su equipo con Windows Update**. Windows se conectará automáticamente al sitio Web de Windows Update. Las instrucciones que aparecen en pantalla le guiarán por el proceso de seleccionar las actualizaciones necesarias, descargar dichas actualizaciones e instalarlas.

Si desea que su equipo descargue automáticamente las actualizaciones de Windows cuando no lo utiliza, por ejemplo cuando duerme, active las actualizaciones automáticas. Pulse **Inicio**, haga clic con el botón derecho del ratón sobre **Mi PC**, seleccione **Propiedades** y, tras ello, seleccione la ficha **Actualizaciones automáticas**, como se indica en la figura 1.10.

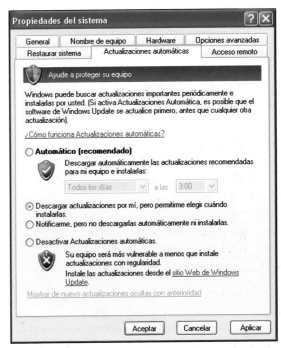

Figura 1.10.

Al activar las actualizaciones automáticas Windows mantiene actualizados todos los archivos de Windows.

OBTENER LOS ÚLTIMOS CONTROLADORES

Para poder utilizar correctamente todos los dispositivos de hardware de su ordenador, Windows utiliza un pequeño programa denominado controlador. Un controlador es el puente entre el dispositivo y Windows, y permite que el sistema operativo controle el dispositivo. La tarjeta gráfica, la tarjeta de red, el módem y prácticamente todos los demás componentes de hardware del ordenador necesitan un controlador de software personalizado instalado en Windows.

Windows cuenta con una extensa biblioteca de controladores, por lo que al añadir un nuevo producto de hardware a su PC, Windows lo suele reconocer e instala automáticamente un controlador compatible. Sin embargo, puede que éste no sea el más indicado para el dispositivo en cuestión. Los fabricantes de hardware actualizan constantemente sus controladores y la instalación de las últimas versiones puede corregir molestos problemas, e incluso mejorar el rendimiento del ordenador.

A continuación le indicamos cómo buscar e instalar los últimos controladores:

1. Busque el fabricante y el número de modelo del dispositivo de hardware. Utilice las utilidades información del sistema o Belarc Advisor como mencionamos antes con los dispositivos instalados en su PC. En el caso de impresoras, escáneres y otros dispositivos externos, consulte el manual de usuario del dispositivo.

2. Tras ello, busque el número de versión del controlador que esté utilizando. Abra el Administrador de dispositivos (como veremos más adelante). Seleccione el controlador y haga doble clic sobre el mismo para abrir sus propiedades. Haga clic en la ficha Controladores para ver el número de versión y la fecha de creación del controlador.

3. Desplácese hasta el sitio Web del fabricante y busque un controlador actualizado, por lo general en el apartado de descargas. Si no lo encuentra, busque un campo de búsqueda en la página inicial e introduzca el número del modelo. Cuando lo encuentre, compare los números de versión para ver si necesita la actualización.

4. Si encuentra un nuevo controlador, descargue el archivo del mismo. Suelen ser archivos comprimidos, por lo que tendrá que descomprimirlo. El archivo Zip añadirá uno o más archivos a la carpeta que elija en su disco duro.

5. Si hay varios archivos, busque el archivo `setup.exe` o `install.exe`, y haga doble clic sobre el mismo. Si sólo hay un archivo, haga clic sobre éste. Se iniciará el proceso de instalación automática.

6. Si el archivo descargado no se instala automáticamente, tendrá que hacerlo de forma manual. En la pantalla de propiedades, haga clic en el botón de actualización del controlador. Windows iniciará un asistente que le guiará por el proceso de instalación.

ADVERTENCIA: Al igual que Windows, la mayoría de los controladores está en constante evolución. En ocasiones, un nuevo controlador actualizado puede provocar conflictos con otros programas o componentes del PC. De ser así, haga doble clic en la entrada del dispositivo en el Administrador de dispositivos y seleccione la ficha Propiedades. Haga clic en el botón **Volver al controlador anterior** para reinstalar el controlador antiguo.

Identificar la versión de Windows

Independientemente de que desee reparar o actualizar su PC, tendrá que saber la versión de Windows que utiliza. Los controladores de hardware, los parches de software y el consejo de los servicios de asistencia técnica dependen de la versión de Windows que utilice. Veamos cómo conseguir el número de versión exacto:

1. Encienda su ordenador y fíjese en la pantalla. Anote la versión de Windows. Verá una de las siguientes opciones: Windows 98, Windows Me, Windows 2000 o Windows XP.

2. En Windows 98 o Windows Me, seleccione Inicio> Configuración>Panel de control>Sistema. Debajo de la ficha General verá el número de versión.

3. En Windows 2000 o Windows XP, seleccione Inicio>Panel de control>Rendimiento y mantenimiento>Sistema. (Si ha configurado Windows para que muestre la vista clásica del Panel de control, una vez en el panel de control seleccione Sistema.) En la ficha General encontrará el número de versión.

4. Anote o escriba la información que aparece en pantalla, incluyendo todas las entradas relativas a Service Pack. Por ejemplo, como se indica en la figura 1.11, un ordenador puede tener la siguiente información: Microsoft Windows XP, Profesional, Versión 2002. Puede guardar o imprimir una imagen de cualquier pantalla de Windows si la copia con la tecla **Impr Pant**. Abra el programa Paint

de Windows (Inicio>Todos los programas> Accesorios>Paint) y pulse **Control-V** para pegar la imagen en el programa. Tras ello, podrá guardarla o imprimirla.

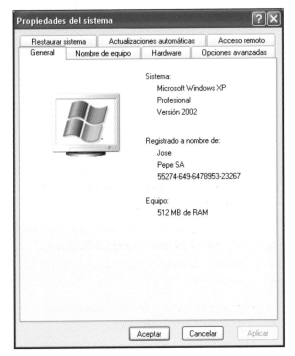

Figura 1.11.
Si anota toda la información sobre su versión de Windows podrá acelerar la resolución de problemas.

Acceder al Panel de control y al Administrador de dispositivos de Windows

Como comprobará más adelante, las herramientas de reparación y mantenimiento más útiles de Windows se encuentran en el **Panel de control** y en el **Administrador de dispositivos**.

Panel de control de Windows

Como su nombre indica, el **Panel de control** nos permite volver a configurar todos los parámetros de Windows y los componentes de hardware de nuestro equipo. Por ejemplo, en la figura 1.12 se muestra la pantalla del subprograma **Mouse** del **Panel de control**, que nos permite configurar un ratón para zurdos. El **Panel de control** también permite acceder a distintas herramientas de reparación de Windows. Haga clic en **Inicio>Panel de control** y examine las distintas opciones de menú.

Figura 1.12.
La sensibilidad del puntero del ratón es una de las muchas opciones que se pueden definir en el Panel de control.

Administrador de dispositivos de Windows

El **Administrador de dispositivos** de Windows controla e informa del estado del hardware del equipo. Si Windows tiene problemas para establecer la comunicación con el disco duro, el ratón, la tarjeta gráfica o cualquier otro dispositivo del ordenador, el **Administrador de dispositivos** nos lo indicará. Para abrirlo, ejecute **Inicio>Panel de control>Rendimiento y mantenimiento>Sistema**. Tras ello, seleccione la ficha **Hardware** y haga clic en el botón **Administrador de dispositivos**.

Verá una pantalla similar a la mostada en la figura 1.13. Por debajo del icono del ordenador situado en la parte superior verá todas las categorías de dispositivos de hardware instalados en su equipo. Haga clic en el signo más situado a la derecha de cualquier categoría para acceder a la relación de dispositivos concretos de la misma.

Haga doble clic en el listado del dispositivo para acceder a sus propiedades. En la figura 1.14. puede ver las propiedades de uno de los discos duros de la imagen anterior. En la parte central de la ficha **General** se encuentra el grupo **Estado del dispositivo**. Si Windows no puede comunicarse correctamente con el dispositivo, lo indicará en este apartado. También puede incluir un mensaje de error o cualquier otra pista sobre la naturaleza del problema. En la parte inferior de la ficha **General** se incluye un menú desplegable desde el que podemos desactivar el dispositivo, una herramienta muy útil para rastrear el origen de los problemas del PC.

Figura 1.14.

Todos los componentes de hardware del ordenador cuentan con una pantalla de propiedades a la que se accede desde el Administrador de dispositivos.

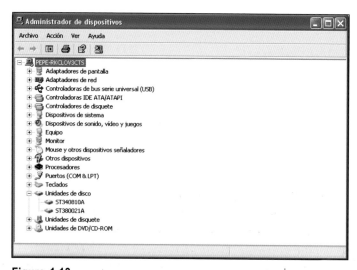

Figura 1.13.

El Administrador de dispositivos enumera todos los componentes de hardware del PC.

ALERTAS DEL ADMINISTRADOR DE DISPOSITIVOS

El Administrador de dispositivos de Windows añade un indicador junto al dispositivo del ordenador que no funcione correctamente. En la siguiente ilustración, la X de color rojo indica que el dispositivo se ha desactivado por completo. Cualquier impresora que conectemos a ese puerto no funcionará. El círculo amarillo con un signo de exclamación indica que el dispositivo no funciona correctamente. Cuando aparezca uno de estos círculos, haga doble clic sobre la entrada del dispositivo para comprobar su estado en la ficha General.

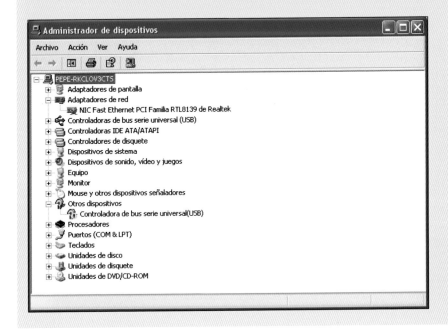

Acceder a la BIOS

En ocasiones, la reparación del PC consiste en realizar cambios en la BIOS del ordenador. Se preguntará qué es la BIOS. Es un término técnico para denominar a un pequeño programa que actúa de traductor entre Windows y el hardware del ordenador. Incluso podríamos afirmar que es el subconsciente de Windows y que controla su comportamiento de forma invisible para el mundo exterior. Al igual que el subconsciente humano, la BIOS tiene un efecto directo sobre el comportamiento externo.

 TRUCO: Consulte en el manual de usuario de su ordenador las descripciones de todos los parámetros de configuración de la BIOS.

La BIOS no forma parte realmente de Windows, que está almacenado en el disco duro. El software de la BIOS se encuentra en un chip del ordenador. Al encender el equipo, la BIOS comprueba el hardware, seguidamente busca a Windows en el disco duro y lo inicia.

Para que funcione correctamente, la BIOS debe personalizarse de acuerdo al equipo en el que se encuentre. Por ejemplo, la BIOS necesita saber la hora, la fecha y el tipo de discos duros instalados en el equipo. Esta información y otros datos similares se introducen manualmente en la BIOS por medio de su programa de configuración (también denominado programa CMOS). Para acceder al programa de configuración de la BIOS, siga los pasos descritos a continuación:

1. Encienda el ordenador.

2. Busque en la pantalla instrucciones para acceder al programa de configuración de la BIOS. Habitualmente, aparece un breve mensaje en pantalla segundos después de encender el ordenador. El mensaje le insta a que pulse una tecla para acceder al programa de configuración, tecla que suele ser **Supr** o **F1**.

3. Pulse la tecla sugerida para abrir el menú de configuración de la BIOS. Tendrá escasos segundos para pulsarla, por lo que debe darse prisa. Si se agota el tiempo, reinicie el ordenador y pruebe de nuevo.

4. Busque el parámetro que desee modificar y cámbielo. La estructura de menús y los parámetros concretos de la BIOS varían ligeramente de un equipo a otro, pero el desplazamiento suele ser muy sencillo.

5. Pulse la correspondiente tecla para guardar los cambios y salir. Como en el caso anterior, la tecla exacta varía de un PC a otro pero encontrará las instrucciones en la pantalla.

6. El ordenador se reiniciará y se abrirá Windows.

TENGA CUIDADO CON LA PILA CMOS

Como hemos mencionado antes, BIOS equivale a Sistema de entrada/salida básico. Este pequeño software está permanentemente almacenado en un chip de la placa base; cuando cesa la alimentación, la mayor parte del programa permanece almacenado en el chip. Sin embargo, la parte de la BIOS que podemos modificar, la configuración, se almacena en otro chip diferente denominado CMOS, o Semiconductor de óxido metálico complementario. Este chip necesita una cierta cantidad de alimentación continua para almacenar los datos, alimentación que recibe de una pequeña pila de la placa base.

Si la pila CMOS se agota, el PC pierde la información de inicio y no funcionará correctamente, ya que necesita datos de configuración como la hora, la fecha o el tipo de disco duro. Cuando la pila empieza a agotarse, comienzan los problemas. Un síntoma habitual de una pila CMOS a punto de agotarse es el fallo del reloj. Si tiene que configurar constantemente el reloj de su ordenador, puede que necesite una nueva pila CMOS, que no resulta difícil de cambiar. Consulte el manual de instrucciones de su PC, en el que encontrará el tipo exacto de pila para su equipo e instrucciones para cambiarla.

Crear copias de seguridad del PC

2

> Capítulo 2. **Crear copias de seguridad del PC**

Para solucionar los problemas de un ordenador existen tres reglas básicas: crear copias de seguridad de los datos, crear copias de seguridad de los datos y crear copias de seguridad de los datos. La reparación de un PC estropeado no es nada comparado con el esfuerzo necesario para sustituir registros financieros, correos electrónicos importantes o valiosas fotografías que se hayan esfumado. Y realmente se esfuman; basta con un repentino apagón, un virus malintencionado o la tecla equivocada para que todos estos archivos desaparezcan. A continuación le vamos a enseñar a proteger sus datos y a no perder la calma.

FUNDAMENTOS DE LA CREACIÓN DE COPIAS DE SEGURIDAD

Veamos qué, dónde, cuándo y cómo almacenar sus datos en lugar seguro para después recuperarlos cuando sea necesario.

De qué hacer copias de seguridad

La respuesta breve a la pregunta de qué incluir en una copia de seguridad es de todo lo almacenado en su ordenador. Sin embargo, es evidente que algunos archivos son más importantes que otros y que tienen tamaños diferentes.

Existen tres tipos de archivos que tener en cuenta: archivos de datos, archivos de Windows y archivos de software.

Los archivos de datos son los que solemos usar: cartas, documentos, correos electrónicos, imágenes, clips de vídeo y prácticamente cualquier archivo que creemos o descarguemos a nuestro equipo. Como la mayoría de estos archivos sólo existe en nuestro ordenador, son los primeros que debemos incluir en una copia de seguridad.

Windows XP cuenta con miles de archivos. Si un archivo fundamental se modifica incorrectamente o resulta dañado, el PC sufrirá hasta dejar de funcionar. Afortunadamente, ya disponemos de una copia de seguridad de los archivos de Windows en el CD de Windows que incluye el PC. No obstante, la reinstalación completa de Windows a partir del CD es una tarea complicada, ya que implica volver a configurar todos los parámetros y volver a instalar todos los programas. Por fortuna Windows nos permite crear copias de seguridad y restaurar partes de Windows, lo que puede ahorrarnos mucho tiempo.

Al igual que Windows, los programas de software incluidos en un CD ya son copias de seguridad (véase la figura 2.1), lo que no ocurre con el software descargado, del que tendremos que crear personalmente las copias de seguridad.

Figura 2.1.
Proteja su CD de Windows y sus CD de software, ya que son la copia de seguridad perfecta.

TRUCO: Le aconsejamos que guarde todos sus programas descargados en el mismo lugar, para que resulten más sencillos de localizar a la hora de realizar copias de seguridad. Cada vez que descargue un programa de software, cree una nueva carpeta e inclúyala en su carpeta de descargas.

Dónde almacenar una copia de seguridad

Existen multitud de formas de almacenar archivos de copia de seguridad: discos duros, CD-ROM e incluso en Internet. En la tabla 2.1 se comparan las distintas opciones más habituales. En un mundo perfecto, el proceso de copia de seguridad sería rápido, seguro y económico. Elija su opción.

Tabla 2.1.

Dónde guardar las copias de seguridad: comparación de dispositivos de almacenamiento.

Dispositivo de almacenamiento	Riesgo de pérdida	Coste de compra	Coste del almacenamiento de datos	Capacidad
Disco duro interno	Alto	Elevado	Moderado	20 GB o más
Disco duro externo	Alto	Muy elevado	Moderado	20 GB o más
Unidad de DVD	Bajo	Moderado	Económico	5 GB por disco
Unidad de CD-ROM	Bajo	Moderado	Muy económico	650 MB por disco
Unidad USB	Moderado	Moderado	Elevado	500 MB
En línea	Muy bajo	De moderado a elevado	Moderado a elevado	100 GB o más
Disquete	Moderado	Muy económico	Muy económico (para menos de 50 MB de datos)	1'44 MB

- **Disco duro del ordenador:** Es el lugar más cómodo para almacenar archivos: es gratuito y la copia de seguridad siempre está lista. También es el sitio menos seguro. Si el disco duro muere, lo mismo sucede con la copia de seguridad y, en última instancia, todos los discos duros mueren. Además, suelen llenarse de forma rápida, así que limita el espacio necesario para copias de seguridad de gran tamaño.

- **Disco duro adicional:** Un segundo disco duro en su PC ofrece una gran cantidad de espacio de almacenamiento y protege las copias de seguridad en caso de que el disco duro principal se colapse, aunque sigue siendo vulnerable a otras amenazas. Un disco duro externo, el que se conecta al exterior del ordenador con un cable Firewire o USB, se puede extraer fácilmente del equipo y almacenar en otro punto. Sin embargo, se trata de dispositivos caros y su uso exclusivo para copias de seguridad es un lujo para la mayoría de los usuarios.

- **CD-ROM o DVD:** Los medios extraíbles como los CD-ROM y los DVD son la mejor solución para almacenar archivos debido a su reducido tamaño, a su capacidad y a que se pueden transportar fácilmente de un sitio a otro.

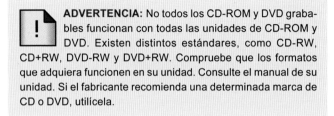

ADVERTENCIA: No todos los CD-ROM y DVD grabables funcionan con todas las unidades de CD-ROM y DVD. Existen distintos estándares, como CD-RW, CD+RW, DVD-RW y DVD+RW. Compruebe que los formatos que adquiera funcionen en su unidad. Consulte el manual de su unidad. Si el fabricante recomienda una determinada marca de CD o DVD, utilícela.

- **Unidad USB:** Estos lápices de memoria USB tienen el tamaño de un paquete de chicles, como se indica en la figura 2.2. Basta con conectarlos a la ranura USB de cualquier PC con Windows XP para poder acceder hasta un GB de datos. Permiten realizar copias de seguridad de archivos de datos y resultan especialmente útiles para intercambiar archivos entre ordenadores (por ejemplo de casa a la oficina).

- **Internet:** Algunas empresas, como Connected.com (`www.connected.com`) e iBackup (`www.ibackup.com`) ofrecen almacenamiento de datos en línea a cambio de una cuota; puede cargar sus archivos a su sitio Web para almacenarlos y descargarlos cuando los necesite por menos de tres euros al mes (para 50 MB de datos). Sin embargo, los precios aumentan para cantidades mayores. Es una de las formas más seguras de almacenar datos aunque puede resultar costosa si tiene que realizar copias de seguridad diarias de varios cientos de MB.

- **Disquete:** Los disquetes resultan útiles para almacenar pequeñas cantidades de datos como documentos y hojas de cálculo pero los 1'44 MB de capacidad no sirven para archivos de gran tamaño como imágenes o música. Los disquetes se resienten con facilidad, por lo que debe almacenarlos con cuidado.

Cuándo realizar copias de seguridad

La regla básica es que debe crear copias de seguridad inmediatas de los archivos importantes que no desee perder, pero, en realidad para muchos ordenadores personales bastará con una copia de seguridad semanal de los archivos de datos. Los usuarios empresariales, por su parte, deberían realizar copias de seguridad diarias. Los archivos de Windows y de software deben guardarse cuando se modifique el ordenador, por ejemplo al añadir nuevo software o hardware.

Figura 2.2.
Puede transportar sus copias de seguridad con una unidad USB.

BUSCAR ARCHIVOS PERDIDOS

Desaparecidos sin dejar rastro. Acaba de perder un archivo importante y se da cuenta de que no dispone de copia de seguridad. ¿Qué debe hacer a continuación?

¿Volverse loco? ¿Empezar a romper objetos? En absoluto. Conserve la calma e intente recuperar el archivo.

- En primer lugar, compruebe si ha perdido el archivo y que no lo ha cambiado de lugar. Al pulsar la tecla **Supr**, Windows envía los archivos seleccionados a la papelera de reciclaje. Haga clic en el icono Papelera de reciclaje, situado en el escritorio de Windows, para comprobar que los archivos se encuentran ahí. Para recuperar un archivo, selecciónelo y haga clic en el botón **Restaurar**.

- Tras ello, busque en su ordenador. El PC es enorme y existen multitud de lugares en los que se puede ocultar un archivo. Haga clic con el botón derecho del ratón sobre Mi PC en el Explorador de Windows y seleccione Buscar. Puede buscar en todo el PC por el nombre del archivo (total o parcial) o incluso por palabras en un archivo.

- Si parece que ha perdido definitivamente el archivo, todavía queda esperanza. Cuando Windows borra un archivo, no lo elimina realmente. Para recuperarlo, va a necesitar una herramienta como Undelete 4 de Executive Software, que vale unos 30 euros. Pero antes de adquirir un programa de recuperación, puede descargar y probar PC Inspector (www.pc inspector.de); es gratuito.

CREAR COPIAS DE SEGURIDAD DE ARCHIVOS DE DATOS

La creación de copias de seguridad de archivos de datos es sencilla pero, como cualquier tarea rutinaria, puede resultar tediosa. Determine la rutina que mejor se adecue a sus necesidades y manténgala. Si apenas tiene archivos importantes, utilice el Explorador de Windows para copiarlos manualmente y cambiarlos a la ubicación de copia de seguridad seleccionada. Si el número de archivos es mayor, tendrá que recurrir a la utilidad de copia de seguridad de Windows.

Organizar los archivos de datos

Antes de poder realizar copias de seguridad de sus archivos de datos, tendrá que localizarlos. Cuanto antes lo haga, más sencillo será el proceso y mayor probabilidad habrá de que lo haga regularmente.

- Mantenga todos sus archivos de datos en una misma ubicación. La carpeta **Mis documentos** (véase la figura 2.3) es una buena opción; siempre aparece en la parte superior del **Explorador de Windows** y siempre incluye subcarpetas para los distintos tipos de datos, como **Mis imágenes** y **Mi música**.

- De forma predeterminada, muchos programas de software almacenan los archivos de datos en la carpeta **Mis documentos**. Prácticamente todos estos programas le permiten seleccionar, o crear, la carpeta en la que almacenar los archivos de datos. Cree una subcarpeta en **Mis documentos** para cada tipo de programa que utilice.

> **ADVERTENCIA:** Algunos programas no guardan sus archivos de datos en la carpeta Mis documentos de forma predeterminada, así que se pueden pasar por alto. Si el programa lo permite, cambie la carpeta de almacenamiento de archivos por la que desee.

Instalar la utilidad Copia de seguridad de Windows

Windows XP Home Edition incorpora una utilidad de creación de copias de seguridad pero tendrá que instalarla de forma manual.

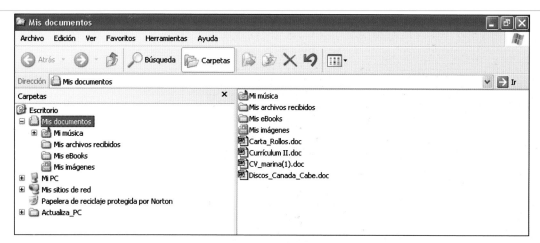

Figura 2.3.
La carpeta Mis documentos es una ubicación muy útil para almacenar archivos de datos.

La utilidad ya viene incorporada en Windows XP Professional. Para instalarla, siga los pasos descritos a continuación:

1. Introduzca su CD de Windows XP en la unidad. (Si el CD no se inicia automáticamente, seleccione Ir a>Mi PC y haga doble clic en el icono de la unidad de CD-ROM.)

2. En la pantalla de bienvenida, seleccione Realizar tareas adicionales (véase la figura 2.4).

3. Seleccione Examinar este CD.

4. En el Explorador de Windows, haga doble clic en la carpeta ValueAdd, tras ello en la carpeta Msft y, por último, en la carpeta Ntbackup. Pulse dos veces sobre el archivo Ntbackup.msi para instalar la utilidad Copia de seguridad.

Guardar archivos de datos

1. Seleccione Inicio>Todos los programas> Accesorios>Herramientas del sistema>Copia

de seguridad para iniciar el Asistente para copia de seguridad o restauración.

2. Si se abre la pantalla reproducida en la figura 2.5, haga clic en el vínculo Modo Asistente de la segunda línea de texto para cambiar al modo de asistente.

3. Pulse **Siguiente**, seleccione Efectuar una copia de seguridad de archivos y configuración y vuelva a hacer clic en **Siguiente**.

4. Tras ello, seleccione los archivos de los que desee crear copias de seguridad. Dispone de cuatro opciones. Si ha almacenado sus archivos de datos en la carpeta Mis documentos, seleccione Mi carpeta de documentos y configuración (véase la figura 2.6). Si comparte su PC con otros usuarios y también desea crear copias de seguridad de sus archivos, seleccione Las carpetas de documentos y configuración de todos los usuarios.

5. La tercera opción, Toda la información de este equipo, sólo funciona con Windows XP Professional Edition, no con Windows XP Home.

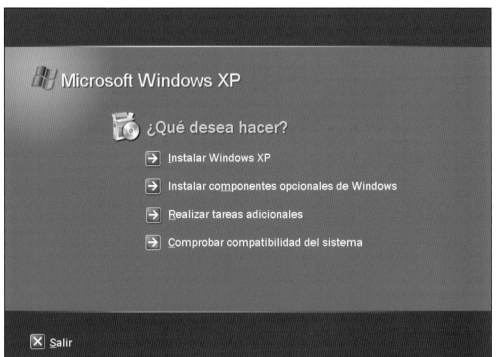

Figura 2.4.

Seleccione Realizar tareas adicionales en la pantalla de bienvenida.

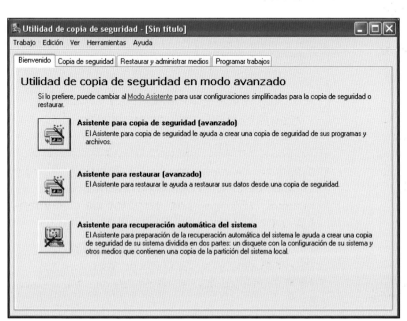

Figura 2.5.

Para cambiar la pantalla de inicio estándar por el Asistente para copias de seguridad o restauración, haga clic en el vínculo Modo Asistente.

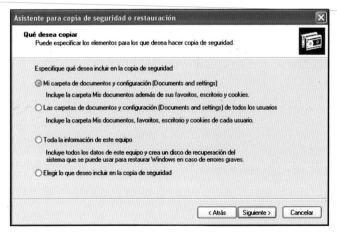

Figura 2.6.
Seleccione la última de las cuatro opciones si desea seleccionar manualmente los archivos de los que crear una copia de seguridad.

Figura 2.7.
Marque las casillas de los archivos y carpetas que desee incluir en la copia de seguridad.

6. Como se indica en la figura 2.6, la última opción, **Elegir lo que deseo incluir en la copia de seguridad**, nos permite elegir archivos que no se encuentren en la carpeta **Mis documentos** así como archivos y carpetas concretas de dicha carpeta. Haga clic en **Siguiente**.

7. Como se indica en la figura 2.7, debe hacer clic en la casilla vacía situada junto a cualquier archivo o carpeta para indicar que desea copiarlo.

8. Cuando termine, pulse **Siguiente**. Se abrirá la pantalla **Destino y nombre del tipo de la copia de seguridad** (véase la figura 2.8). Seleccione un nombre para la copia de seguridad, una ubicación para guardarla y pulse **Siguiente**.

9. En la pantalla **Finalización del Asistente para copia de seguridad o restauración**, haga clic en **Opciones avanzadas**. En la siguiente pantalla, bajo **Seleccione el tipo de copia de seguridad**, seleccione **Normal** (véase la figura 2.9). Pulse **Siguiente**.

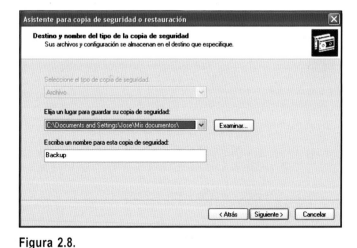

Figura 2.8.
Seleccione la ubicación de la copia de seguridad y asigne al archivo un nombre descriptivo.

10. Verá tres casillas de verificación, como se indica en la figura 2.10. Marque la primera, **Comprobar datos después de la copia de seguridad**. Aumentará la duración de la copia de seguridad

pero merece la pena, ya que en ocasiones los datos resultan dañados durante la sesión de copia de seguridad. Haga clic en **Siguiente**.

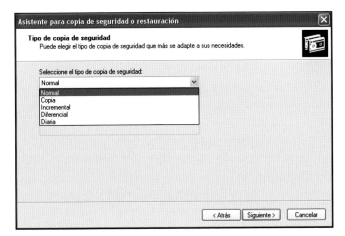

Figura 2.9.
Seleccione una copia de seguridad normal.

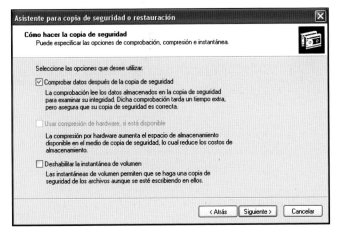

Figura 2.10.
Al seleccionar Comprobar datos después de la copia de seguridad, se comprueba la presencia de errores en el nuevo archivo de copia de seguridad.

11. A menos que no disponga de espacio en el disco duro, seleccione **Anexar esta copia de seguridad a las copias de seguridad existentes** (véase la figura 2.11). Pulse **Siguiente**.

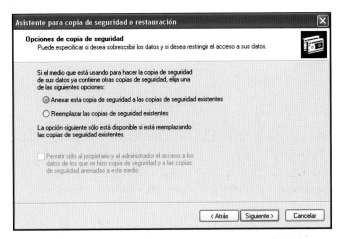

Figura 2.11.
Seleccione esta opción ya que nunca sobran copias de seguridad.

12. Si desea que Windows realice automáticamente esta copia de seguridad de forma regular, seleccione **Más adelante** (véase la figura 2.12). Introduzca un nombre para el trabajo y haga clic en **Establecer programación**.

13. En la ficha **Programación**, en el apartado **Programar tarea**, seleccione la frecuencia con la que desee que Windows realice las copias de seguridad (véase la figura 2.13). Pulse **Aceptar** y, tras ello, **Siguiente**. Windows le solicitará una contraseña para este trabajo de copia de seguridad, que puede dejar en blanco si no desea utilizar una contraseña.

Figura 2.12.

Seleccione Más adelante para configurar Windows para que realice copias de seguridad automáticas diarias, semanales o mensuales.

Figura 2.13.

Seleccione la frecuencia con la que desee realizar copias de seguridad de los archivos de datos.

14. Haga clic en **Siguiente** y en **Finalizar** para iniciar la copia de seguridad.

Restaurar archivos de datos con la utilidad Copia de seguridad de Windows

La restauración de archivos de copia de seguridad con la utilidad Copia de seguridad de Windows consiste en la operación contraria.

1. Seleccione Inicio>Todos los programas> Accesorios>Herramientas del sistema>Copia de seguridad para iniciar el asistente. En caso de que la utilidad Copia de seguridad no aparezca, tendrá que instalarla manualmente, como le indicamos en un apartado anterior.

2. Haga clic en **Siguiente**, seleccione Restaurar archivos y configuraciones, y pulse **Siguiente** (véase la figura 2.14).

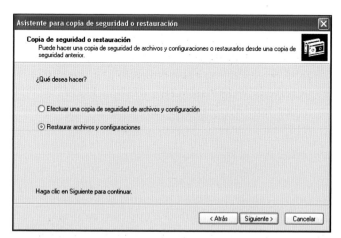

Figura 2.14.

Seleccione Restaurar archivos y configuraciones en la pantalla Copia de seguridad o restauración.

3. En la parte derecha de la ventana, haga doble clic en el archivo que desee restaurar. En la parte izquierda, marque la casilla de verificación situada junto al archivo o carpeta que desee restaurar (véase la figura 2.15). Pulse **Siguiente**.

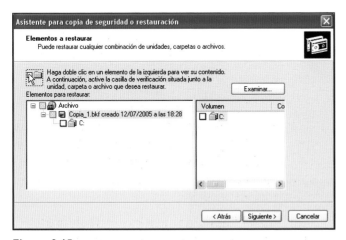

Figura 2.15.

Haga clic en la casilla de verificación vacía situada junto al archivo o carpeta que desee recuperar.

4. En la pantalla **Finalización del Asistente para copia de seguridad o restauración**, haga clic en el botón **Opciones avanzadas**. Se abrirá la pantalla **Dónde restaurar**, reproducida en la figura 2.16. Seleccione la ubicación en la que desee restaurar el archivo y pulse **Siguiente**.

CREAR UNA COPIA DE SEGURIDAD DE WINDOWS

Después de instalar Windows XP, no resulta sencillo crear una copia de seguridad completa del propio sistema operativo. Como Windows está relacionado con multitud de programas de software y controladores,

será necesario crear una copia de seguridad conjunta de Windows XP y del software si desea que la ejecución sea correcta al restaurar la copia de seguridad, como veremos más adelante.

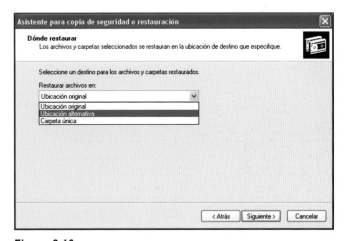

Figura 2.16.

Si no desea sobrescribir el archivo existente, seleccione la opción Ubicación alternativa en la pantalla Dónde restaurar.

No obstante, se pueden crear copias de seguridad de partes esenciales de Windows XP. En ocasiones, estos archivos se ven afectados por software en malas condiciones o por fallos del disco duro. La utilidad **Restaurar sistema** guarda periódicamente estos archivos como puntos de restauración y permite recuperar una configuración anterior de Windows, que esperemos no tenga fallos. Aunque pueda parecer una medida drástica, puede reparar un fallo aparentemente irreparable.

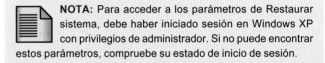

NOTA: Para acceder a los parámetros de Restaurar sistema, debe haber iniciado sesión en Windows XP con privilegios de administrador. Si no puede encontrar estos parámetros, compruebe su estado de inicio de sesión.

Activar y desactivar Restaurar sistema

Restaurar sistema almacena automáticamente una nueva copia de seguridad cada 24 horas y la mantiene mientras haya espacio libre en el disco. En caso de no contar con suficiente espacio, se elimina la copia de seguridad más antigua. Cuanto más espacio asignemos a **Restaurar sistema**, mayor número de puntos de restauración tendremos a nuestra disposición.

Para establecer la cantidad de espacio del disco que Windows XP asigna a las copias de seguridad, siga los pasos descritos a continuación:

1. Seleccione **Inicio>Todos los programas> Accesorios>Herramientas del sistema> Restaurar sistema** para abrir la pantalla ilustrada en la figura 2.17. Haga clic en el vínculo **Configuración Restaurar sistema** situado en la parte izquierda de la pantalla.

2. Tras ello, se abrirá la ventana **Propiedades del sistema**. Seleccione el disco duro en el que desee almacenar el archivo de copia de seguridad y, tras ello, haga clic en el botón **Configuración**. Se abrirá la pantalla **Configuración de unidad** (véase la figura 2.18). Establezca la cantidad de espacio deseada por medio del regulador. (El máximo es el 12 por cien del espacio disponible.)

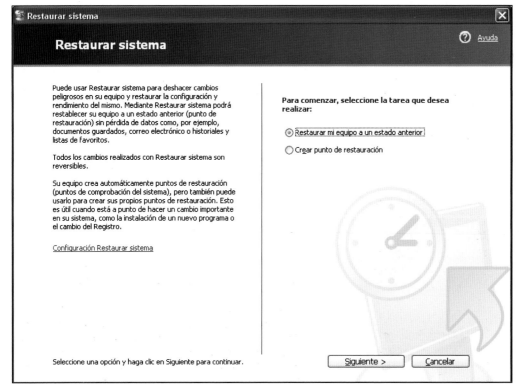

Figura 2.17.
Inicie el proceso de copia de seguridad mediante la configuración de Restaurar sistema.

Figura 2.18.

Establezca la cantidad de espacio en el disco duro que utilizará Restaurar sistema.

> ! **ADVERTENCIA:** Necesitará un mínimo de 200 MB de espacio libre en el disco duro para iniciar Restaurar sistema. Si la cantidad de espacio libre de cualquier partición del disco es inferior a 50 MB, Restaurar sistema dejará de funcionar y se borrarán todas sus copias de seguridad. Volverá a funcionar cuando cuente con el espacio necesario.

3. Si tiene más de un disco duro, puede desactivar **Restaurar sistema** en un disco determinado, para aumentar ligeramente el rendimiento de su ordenador, si marca la casilla **Desactivar Restaurar sistema en todas las unidades**. (La opción no está disponible para el disco duro en el que se haya instalado Windows XP.)

> ! **ADVERTENCIA:** Si marca la casilla Desactivar Restaurar sistema en su disco duro principal, en el que haya instalado Windows, se eliminarán todos los puntos de restauración y se desactivará Restaurar sistema.

CREAR COPIAS DE SEGURIDAD DE CORREOS ELECTRÓNICOS EN OUTLOOK EXPRESS 6

Algunos de los archivos más útiles de su ordenador son los correos electrónicos. Y Outlook Express, el programa de correo electrónico incluido con Windows XP, no ofrece una forma sencilla de crear copias de seguridad de correos electrónicos, libretas de direcciones u otros parámetros. Afortunadamente, con cierto esfuerzo, todo es posible. Outlook Express almacena los correos electrónicos en archivos con la extensión DBX. `Inbox.dbx` almacena todos los correos electrónicos de la bandeja de entrada, en `Sent.dbx` los de la carpeta Enviados, etc. Tendrá que realizar copias de seguridad de estos archivos para conservar sus correos electrónicos.

1. Busque los archivos DBX. En Outlook Express, seleccione Herramientas>Opciones>Mantenimiento y haga clic en el botón **Carpeta de almacén**, como indica la siguiente imagen.

En el cuadro de diálogo Ubicación del almacén mostrado en la siguiente imagen, haga clic en el cuadro de texto y pulse **Control-C**. Tras ello, seleccione Inicio>Ejecutar, haga clic una vez en el cuadro de texto y pulse **Control-V** para pegar la ubicación de los archivos DBX. Se abrirá una ventana con todos los archivos DBX de Outlook Express.

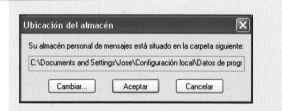

2. Tras ello, copie los archivos DBX. Haga clic sobre un archivo y pulse **Control-A** para seleccionarlos todos, o bien, mantenga pulsada la tecla **Control** y haga clic sobre cada uno de los archivos. A continuación, pulse **Control-C** para copiar los archivos.

3. Abra el Explorador de Windows, seleccione la carpeta en la que desee almacenar los archivos DBX y pulse **Control-V** para pegar los archivos copiados.

Definir un punto de restauración

Windows XP crea automáticamente un punto de restauración diario y siempre que detecta cambios efectuados en el ordenador pero siempre es aconsejable crear un nuevo punto de forma manual antes de añadir un nuevo programa o componente de hardware.

1. Seleccione Inicio>Todos los programas> Accesorios>Herramientas del sistema> Restaurar sistema.

2. Seleccione Crear punto de restauración y haga clic en **Siguiente** (véase la figura 2.19).

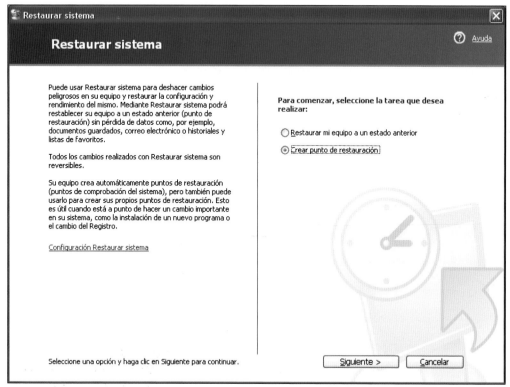

Figura 2.19.
Haga clic en Crear punto de restauración para añadir manualmente un punto de restauración.

3. Introduzca un nombre para el punto de restauración, como por ejemplo **Nueva tarjeta sonido**, (véase la figura 2.20).

4. Haga clic en **Crear** y en la página siguiente haga clic en **Cerrar**.

Restaurar un punto de restauración

1. Seleccione Inicio>Todos los programas> Accesorios>Herramientas del sistema> Restaurar sistema.

2. Seleccione Restaurar mi equipo a un estado anterior y haga clic en **Siguiente**.

3. Seleccione una fecha en el calendario de Restaurar sistema, como se indica en la figura 2.21. En la parte derecha verá una lista de todos los puntos de restauración realizados en ese día. Sólo las fechas en negrita disponen de puntos de restauración.

> **ADVERTENCIA:** Todos los cambios efectuados en Windows XP después de establecer el punto de restauración se desharán cuando éste se restaure. Esto significa que el nuevo hardware o software añadido puede que no se reconozca en la versión recuperada de Windows y que tenga que instalarlos de nuevo.

Figura 2.20.
Asigne un nombre descriptivo al punto de restauración creado.

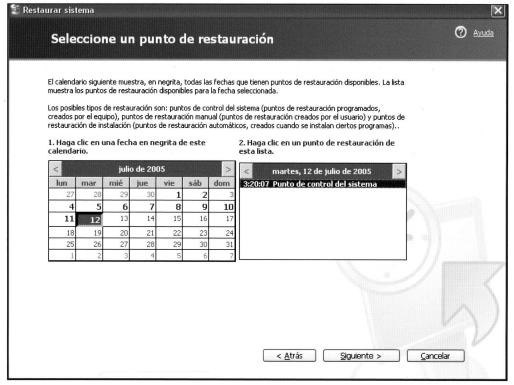

4. Seleccione el punto de restauración que desee y pulse **Siguiente**. Como se indica en la siguiente pantalla, cierre todos los programas en ejecución y guarde los trabajos en curso. Pulse **Siguiente** para que el ordenador se reinicie con la configuración anterior.

Si recupera un estado anterior de Windows y, tras ello, cambia de idea y decide recuperar la configuración original, es decir, la más reciente, también puede hacerlo. Basta con reiniciar **Restaurar sistema**.

Verá una tercera opción en la página de bienvenida que le permite deshacer el último cambio.

A menos que tenga una razón específica para recuperar una configuración anterior de Windows, comience primero con los puntos de restauración más recientes y, tras ello, retroceda en el tiempo en caso de que sea necesario.

RESTAURAR CORREOS ELECTRÓNICOS CON OUTLOOK EXPRESS 6

Si está de suerte, la restauración de las copias de seguridad de sus correos electrónicos será sencilla por medio del asistente Importación de Outlook Express. Sin embargo, este asistente no es demasiado coherente y en ocasiones no detecta los archivos DBX almacenados. De cualquier forma, veamos los pasos que debe seguir:

1. En Outlook Express, seleccione Archivo>Importar>Mensajes.

2. Seleccione Microsoft Outlook Express 6 y pulse **Siguiente**.

3. Seleccione Importar correo de un directorio de almacenamiento de OE6, como se indica en la siguiente imagen, y pulse **Aceptar**.

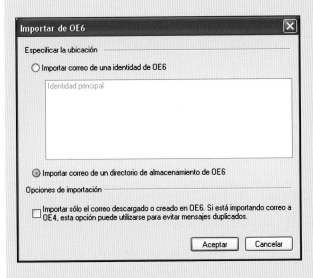

4. Haga clic en **Examinar** y, tras ello, seleccione la carpeta en la que haya almacenado sus archivos DBX. Pulse **Aceptar** y, en la siguiente pantalla, haga clic en **Siguiente**.

5. El asistente le preguntará qué carpeta desea importar y, tras ello, restaurará su selección a Outlook Express.

Si ha pulsado **Siguiente** en el paso anterior y ha recibido el mensaje reproducido en la siguiente imagen, tendrá que copiar manualmente los archivos DBX a la carpeta original, como indicamos a continuación:

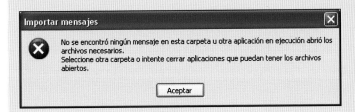

1. Seleccione las carpetas (archivos DBX) que desee restaurar y cópielos mediante **Control-C**.

2. Abra la carpeta de almacén de Outlook Express y pegue los archivos DBX por medio de **Control-V**. (Para buscar la carpeta, consulte el primero paso del proceso anterior.)

Debe saber que el procedimiento anterior sobrescribirá todas las nuevas carpetas de Outlook Express y perderá todos los correos electrónicos que tuviera en las mismas. Para evitar perder los nuevos correos electrónicos, tendrá que crear una nueva carpeta en Outlook Express, cambiar el nombre de la carpeta de almacén y, tras ello, copiarla en la carpeta de almacén. Por ejemplo, para importar su carpeta Bandeja de entrada anterior sin perder los contenidos de la misma, siga estos pasos:

1. Abra Outlook Express y seleccione Archivo>Nuevo>Carpeta. Introduzca el nombre de la nueva carpeta en la que desee almacenar su antigua carpeta Bandeja de entrada.

2. En el Explorador de Windows, abra la carpeta de copias de seguridad de correos electrónicos y cambie el nombre del archivo `Inbox.dbx` por `Antiguo_Inbox.dbx`. (Para ello, haga clic con el botón derecho del ratón y seleccione Cambiar nombre.)

3. Copie Antiguo_Inbox.dbx y péguelo en la carpeta de almacén. De esta forma se sobrescribe el nuevo `Antiguo_Inbox.dbx` recién creado en Outlook Express.

4. Si hace clic sobre `Antiguo_Inbox.dbx` en la ventana de la carpeta Outlook Express, verá los contenidos de su carpeta Bandeja de entrada.

HACER COPIAS DE SEGURIDAD COMPLETAS

Si con **Restaurar sistema** no consigue reparar un problema, le quedará una alternativa nada atractiva: reinstalar Windows y todos sus programas. No obstante, existe una forma de evitar esta posibilidad: utilizar un programa de creación de imágenes de software para confeccionar una imagen de su disco duro.

Una imagen es una instantánea de Windows, de todos los programas instalados, de todos los archivos de datos personales y de todos los bits y bytes del disco duro, en realidad de la partición activa, que es la parte del disco duro en la que se almacenan Windows y los distintos programas. Un archivo de imagen se puede almacenar en cualquier parte siempre que disponga del espacio suficiente. También se puede volver a copiar al disco duro, con lo que se recupera la configuración correcta de Windows y de todo el software instalado.

¿El inconveniente? Los archivos de imagen tienen un gran tamaño y se tarda mucho en crearlos y restaurarlos. Un programa de creación de imágenes, al menos de una marca fiable, puede costar hasta 70 euros. No obstante, si desea una solución de copia de seguridad que funcione en todo momento, merece la pena el tiempo y la inversión.

Crear una imagen del disco

- **Prepare su disco:** El mejor momento para realizar una imagen del disco es justo después de instalar Windows y los programas más importantes. Si el PC es nuevo, utilícelo durante una semana para comprobar que funciona correctamente y, tras ello, realice la imagen. Si el PC no es tan nuevo pero funciona correctamente, límpielo antes de realizar la imagen. Elimine los virus y los programas espía que pueda tener el disco.

- **Prepare sus archivos:** Puede reducir el proceso de creación de copia de seguridad si cambia de posición los archivos que no sean importantes o los que ya haya incluido en otra copia de seguridad. Los archivos de vídeo, de música y de imágenes, por ejemplo, ocupan mucho espacio y conviene incluirlos en copias de seguridad independientes.

- **Utilice un programa de creación de imágenes:** Encontrará distintos programas dedicados, algunos gratuitos y otros de 70 euros o más. La creación de una imagen del disco debe tomarse en serio, por lo que le recomendamos que utilice un producto establecido con experiencia demostrada, como Norton Ghost 9 (`www.ghost.com`); vale 70 euros pero puede encontrarlo por menos.

 TRUCO: La mayoría de los programas de creación de imágenes incorporan una opción de verificación que comprueba la presencia de errores en el archivo de imagen creado. Recomendamos que active esta opción, aunque al hacerlo aumente considerablemente el tiempo necesario para crear la imagen.

- **Decidir dónde almacenar la imagen:** La mayor parte de los programas de creación de imágenes de archivos pueden comprimir el resultado hasta el 50 por cien de su tamaño, aunque seguirá ocupando varios GB. Un segundo disco duro es la solución más cómoda, ya que permite la transferencia rápida de multitud de datos.

Algunos programas no guardan el archivo de imagen en determinados dispositivos, como por ejemplo discos duros externos o unidades de DVD externas. Consulte las especificaciones del programa antes de comprarlo.

TRUCO: Si el programa de creación de imágenes le pide que cree un disco de inicio o algo similar, cree el disco de inicio y guárdelo en un lugar seguro. Estos discos pueden resultar vitales; nos permiten iniciar el programa y también, restaurar una imagen antigua aunque no podamos iniciar Windows.

Restaurar una imagen de disco

Lea las instrucciones que incluya su programa de creación de imágenes.

Realice copias de seguridad de todos los archivos de datos personales (documentos, fotografías, correos electrónicos) que haya guardado en el disco duro o la partición desde la creación de la imagen. La imagen restaurada sobrescribirá por completo todos los elementos del disco duro o de la partición.

Evitar problemas antes de que aparezcan: mantenimiento preventivo

3

> Capítulo 3. **Evitar problemas antes de que aparezcan: mantenimiento preventivo**

En lo que respecta al universo de nuestro ordenador, un gramo de prevención tiene mucho más valor que un kilo de reparaciones. En realidad, si regularmente se esfuerza por garantizar el correcto funcionamiento de su equipo, se ahorrará horas de disgustos y cientos de euros en facturas de reparación. En este capítulo le ofrecemos las tareas de mantenimiento más habituales, con qué frecuencia realizarlas y cuándo llevarlas a cabo.

MANTENIMIENTO DEL DISCO DURO

El disco duro no es la única parte del ordenador que puede estropearse y causar problemas, pero si falla puede tener consecuencias devastadoras y podemos perderlo todo: datos, software y muchas horas de nuestra vida. A continuación le indicamos cómo controlar la salud de su disco duro y conseguir que funcione de forma correcta y eficaz.

Analizar el disco duro en busca de errores

En ocasiones, pequeños fragmentos del disco duro pueden perder los datos que almacenan y los archivos almacenados se extravían y se pierden. La utilidad de comprobación de errores de Windows XP analiza el disco duro en busca de estos problemas y realiza las correspondientes reparaciones. Es aconsejable ejecutar esta utilidad una vez al mes.

1. Haga clic con el botón derecho del ratón sobre **Inicio** y seleccione **Explorar** para abrir el **Explorador de Windows**. Vuelva a hacer clic con el botón derecho sobre el disco duro que desee analizar y seleccione **Propiedades** (véase la figura 3.1).

2. En la ficha **General**, fíjese en el tipo de sistema de archivos que aparece bajo **Sistema de archivos**, que será FAT32 o NTFS (véase la figura 3.2).

3. Seleccione la ficha **Herramientas** y haga clic en el botón **Comprobar ahora** del grupo **Comprobación de errores** (véase la figura 3.3).

4. Si el disco duro utiliza el sistema de archivos FAT32, marque las dos casillas de verificación que aparecen en el grupo **Opciones de comprobación de disco**, como se indica en la figura 3.4. Si utiliza NTFS, marque únicamente la casilla **Reparar automáticamente errores en el sistema de archivos**. Tras ello, haga clic en **Iniciar** para comenzar el análisis del disco y reparar los errores.

! **ADVERTENCIA:** Si opta por analizar los sectores defectuosos del disco duro, la espera será más larga. No puede detener el análisis y no podrá realizar ninguna otra actividad en el ordenador mientras se ejecute el examen.

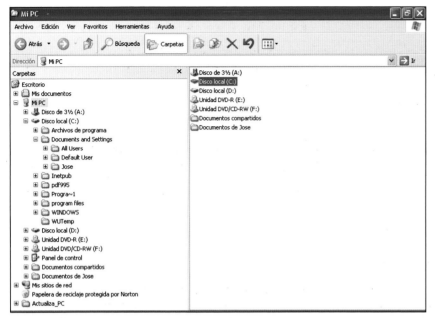

Figura 3.1.

Abra el Explorador de Windows y seleccione la unidad que desee analizar.

Figura 3.2.

En la ficha General, fíjese en el sistema de archivos del disco duro.

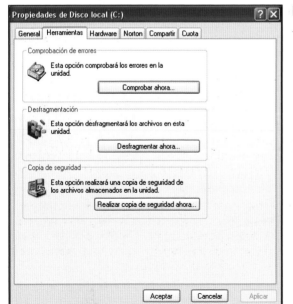

Figura 3.3.

Haga clic en Comprobar ahora para comenzar el análisis.

Figura 3.4.

Marque ambas casillas si su unidad utiliza el sistema FAT32.

ENTENDER EL DISCO DURO

Imagine que su disco duro es un cuaderno gigante formado por cientos de miles de hojas milimetradas (denominadas sectores). Cuando Windows desea almacenar un archivo, comienza a completar una página con datos. Si necesita más de una página, sigue escribiendo en las siguientes hasta registrar el archivo completo. Tras ello, registra los números de página utilizados por el archivo en un índice de contenidos.

Cuando Windows necesita utilizar un determinado archivo, por ejemplo abrir una carta, recurre al índice de contenidos, busca la ubicación del archivo y la copia del disco duro a la memoria, desde donde el ordenador puede usarla. Al guardar la carta, Windows vuelve a escribir el archivo en las páginas (sectores) en las que estaba almacenado. Si el archivo ha aumentado de tamaño y no entra en el número de páginas inicialmente asignado, Windows busca la siguiente página disponible y almacena los datos adicionales. Si la siguiente página disponible no es la siguiente página física usada por el archivo, éste se desfragmenta. Los archivos desfragmentados tardan más en encontrarse debido a que el ordenador tiene que desplazarse por todo el disco duro en busca de las distintas páginas (o sectores).

Analizar virus

- Si no utiliza un programa antivirus, debería. Los virus, troyanos y similares son más numerosos que nunca. Puede invertir unos 50 euros anuales por un paquete de protección antivirus como Norton Antivirus (`www.norton.com`) o puede utilizar programas gratuitos como la versión de AVG Antivirus de Grisoft (`www.grisoft.com`).

- Independientemente del software antivirus que utilice, sólo será válido mientras esté actualizado. Si puede configurar su antivirus para que actualice automáticamente por Internet sus bases de datos de

virus, hágalo. En caso contrario, actualice manualmente su programa al menos una vez por semana.

- La instalación de un programa antivirus es sólo uno de los pasos para proteger su PC de amenazas en línea. Encontrará más detalles al respecto en un capítulo posterior.

> **ADVERTENCIA:** Si en su PC ha instalado un programa antivirus antiguo, asegúrese de desinstalarlo por completo antes de instalar un nuevo programa. Los antivirus suelen provocar conflictos entre sí y provocan todo tipo de problemas.

¿QUÉ ES UNA PARTICIÓN?

Windows no reconoce a un disco duro por sí mismo, sino que reconoce las particiones de éste. Una partición es una parte del disco duro a la que se ha asignado un nombre propio, que se denomina letra de unidad. Windows utiliza una letra mayúscula seguida de dos puntos, como C:, D:, etc., para denominar a cada partición, y cada disco duro tiene al menos una partición. En los ordenadores más modernos, la totalidad del disco duro está asignada a la partición C: (A: y B: se reservan para unidades de disquetes). Si se usa un segundo disco duro, se le asigna la siguiente letra disponibles (D: o E:).

Las particiones suelen recibir el nombre de unidad C: o D:, lo que puede resultar confuso ya que puede haber más de una partición por disco duro; un disco duro dividido en tres particiones tiene tres letras de unidad: C:, D: y E:. Las distintas particiones de un disco duro se usan para simplificar la organización de un disco duro de gran tamaño, para poder buscar datos y permitir a los usuarios ejecutar un segundo sistema operativo, como Linux.

Todas las particiones de Windows utilizan uno de los dos tipos de sistemas de organización para realizar el seguimiento de los archivos almacenados: FAT32 o NTFS. NTFS es un sistema de archivos más fiable y suele utilizarse en todos los discos duros de los nuevos ordenadores.

Tabla 3.1.

Lista de comprobación de mantenimiento preventivo.

Para...	Utilice	Con esta frecuencia
Buscar errores en el disco duro	Comprobación de errores de Windows XP	Semanalmente
Desfragmentar el disco duro	Desfragmentador de disco de Windows XP	Mensualmente
Buscar virus	Software antivirus; Norton Antivirus, AVG Antivirus	Diariamente
Actualizar bases de datos de virus	Software antivirus	Semanalmente
Actualizar Windows XP	Windows Update	Cuando se solicite (automático) o semanalmente (manual)
Eliminar archivos innecesarios	Utilidad de limpieza de disco de Windows XP	Mensualmente
Eliminar software no deseado que se inicia automáticamente	Utilidad de configuración del sistema de Windows XP	Mensualmente
Limpiar la carcasa del PC	Herramientas de limpieza	Cada tres o seis meses
Limpiar el ratón, el teclado, el monitor y las unidades ópticas	Herramientas de limpieza	Según corresponda

Reconocer un disco duro moribundo

Todos los discos duros mueren. Desafortunadamente, cuando un disco duro empieza a decaer, no podemos hacer nada por salvarlo. No obstante, si busca signos de advertencia puede que logre salvar archivos importantes que no haya incluido en copias de seguridad:

- **Ruidos extraños:** Todos los discos duros realizan ruidos al funcionar. Acostúmbrese a los ruidos que emite su disco duro y esté atento a los cambios. Un sonido agudo puede indicar que el disco está a

punto de estropearse. En cierta medida, son buenas noticias, ya que tendrá tiempo de rescatar sus datos. Sin embargo, los ruidos más pronunciados y constantes indican que es necesario tomar medidas urgentes.

 TRUCO: Otros componentes del PC también emiten ruidos. No confunda los ventiladores de la CPU y los de la fuente de alimentación con el sonido de su disco duro. Al encender el ordenador, se distingue fácilmente el sonido del disco duro ya que gira a mayor velocidad.

- **Mensajes de error excesivos:** Si recibe continuamente mensajes de error al analizar su disco duro, preste atención. No se preocupe si los mensajes son ocasionales; los archivos pueden resultar dañados por software en mal estado, por fallos de alimentación o por otras causas.

- **Nombres de carpetas y archivos confusos:** Si en el Explorador de Windows en vez de ver el nombre de un archivo o una carpeta sólo distingue símbolos confusos, probablemente se deba a problemas del disco duro (véase la figura 3.5).

Figura 3.5.
Los nombres de archivos y carpetas convertidos en símbolos ilegibles significan problemas en el disco duro.

- **Archivos o carpetas que desaparecen:** Si desaparecen archivos o carpetas completas del Explorador de Windows, prepárese a su reparación.

- **Cambios de datos S.M.A.R.T:** Consiga uno de los numerosos programas que utilizan tecnología S.M.A.R.T para controlar el comportamiento de un disco duro. Esta tecnología se incorpora en muchos discos duros y controla de forma constante el rendimiento de la unidad. Programas como Data Advisor de Ontrack usan los datos de rendimiento para alertar al usuario de posibles problemas antes de que empeoren. Data Advisor se puede descargar de forma gratuita de la dirección `www.ontrack.com` (véase la figura 3.6).

Figura 3.6.
Programas como Data Advisor nos permiten controlar la salud de un disco duro.

Desfragmentar un disco duro

Windows XP almacena los archivos del disco duro en bloques de datos denominados sectores. Cuando un archivo se almacena en varios sectores que no se encuentran próximos entre sí, se fragmenta, y un disco duro con demasiados archivos fragmentados puede ralentizar el rendimiento del PC. La utilidad **Desfragmentador de disco** analiza el disco duro y reorganiza los archivos desperdigados para que el disco duro se ejecute de la forma más eficaz posible. En un ordenador personal de uso doméstico debería ejecutarse esta utilidad una vez al mes.

1. Seleccione Inicio>Todos los programas> Accesorios>Herramientas del sistema> Desfragmentador de disco.

2. Seleccione la unidad que desee desfragmentar y haga clic en **Analizar** (véase la figura 3.7).

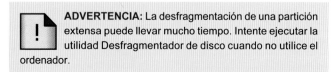

ADVERTENCIA: La desfragmentación de una partición extensa puede llevar mucho tiempo. Intente ejecutar la utilidad Desfragmentador de disco cuando no utilice el ordenador.

ADVERTENCIA: En ocasiones, Desfragmentador de disco tiene problemas con otros programas que se estén ejecutando en el ordenador. De ser así, cierre todos los demás programas, incluido el antivirus.

3. Fíjese en la barra horizontal **Uso de disco aproximado antes de la desfragmentación** (véase la figura 3.8). El color rojo representa archivos fragmentados. Si hay muchos elementos en color rojo tendrá que desfragmentar el disco.

4. Cuando termine el análisis, se abrirá una pequeña ventana en la que se indica la necesidad de desfragmentar el disco. Haga clic en **Presentar informes** si necesita detalles adicionales (véase la figura 3.9).

5. El informe de análisis reproducido en la figura 3.10 incluye todo tipo de estadísticas sobre el disco duro. Pulse **Cerrar** para continuar.

6. Haga clic en el botón **Desfragmentar** para desfragmentar el disco.

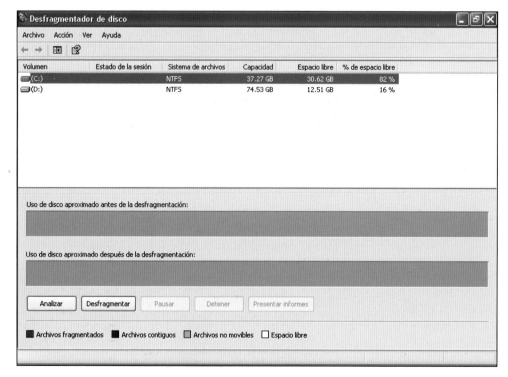

Figura 3.7.

Seleccione la unidad que desee desfragmentar y haga clic en Analizar.

Figura 3.8.
Las líneas y bloques rojos representan archivos fragmentados.

Figura 3.9.
Haga clic en Presentar informes si necesita más información.

Figura 3.10.
El informe de análisis le indica qué archivos están más fragmentados.

TRUCO: Si el programa Desfragmentador de disco se bloquea y no puede cerrarlo, pulse **Control-Alt-Supr** para apagarlo.

 NOTA: Si cree que lo ha probado todo para reparar un problema, el formateo puede resultar perfecto. En caso contrario, consulte primero con un experto.

Formatear el disco duro

El formateo de una partición del disco duro es una medida drástica ya que borra toda la información de la partición. Si su disco duro sólo cuenta con una, el formateo implica la reinstalación de Windows y de todos los programas. Es decir, no es la solución de los pequeños problemas. Sin embargo, en ocasiones es la única medida para reparar mensajes de error constantes, daños del disco producidos por virus o incluso un lento rendimiento crónico del sistema.

Para formatear una partición que no contenga sus archivos de Windows, siga los pasos siguientes:

1. Haga copias de seguridad de todo lo que no quiera perder.

2. Seleccione Inicio>Panel de control> Herramientas administrativas>Administración de equipos>Administración de discos.

3. Haga clic con el botón derecho del ratón sobre el bloque que represente al disco que desee desfragmentar, seleccione Formatear y pulse **Aceptar**. Véase la figura 3.11.

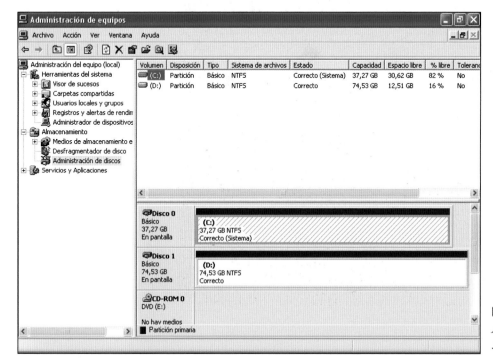

Figura 3.11.

Administración de discos le muestra todos sus discos duros y particiones.

Si desea formatear la partición en la que se almacena Windows, tendrá que volver a instalar Windows XP:

1. Asegúrese de que dispone del CD y del número de serie de todos los programas que debe reinstalar.

2. Compruebe que dispone de los controladores de hardware de todo el hardware que haya añadido o actualizado.

3. Introduzca el CD de Windows XP en su unidad de CD-ROM. Cuando se abra la pantalla de bienvenida, seleccione **Instalar Windows XP** (véase la figura 3.12).

 TRUCO: Si el programa de instalación de Windows no se inicia de forma automática, abra el CD en el Explorador de Windows y luego haga doble clic en el archivo `Setup.exe`.

4. En la siguiente pantalla, bajo **Tipo de instalación**, seleccione **Instalación nueva (avanzada)**. Windows XP le guiará por el proceso de instalación, como se puede observar en la figura 3.13. Cuando se lo indiquen, elimine la partición antigua; Windows creará una nueva y la formateará adecuadamente.

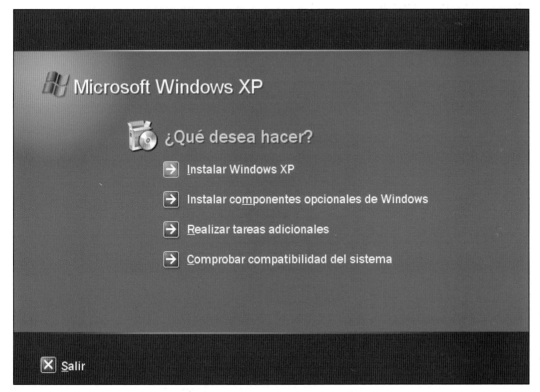

Figura 3.12.
Seleccione Instalar Windows XP en la pantalla de bienvenida.

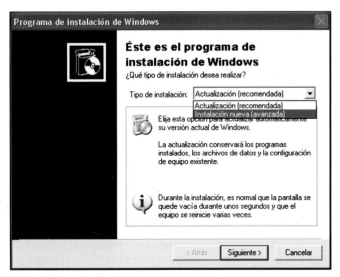

Figura 3.13.
Seleccione Instalación nueva (avanzada) para iniciar el proceso de instalación.

RETOCAR WINDOWS

Con el paso del tiempo, Windows XP se puede congestionar con archivos y programas que pueden reducir el rendimiento del ordenador y hacer que se comporte de forma extraña o que incluso deje de funcionar. A continuación le indicamos cómo conseguir un correcto funcionamiento de Windows.

Eliminar archivos y programas no deseados

La utilidad **Liberador de espacio en disco** elimina archivos y programas innecesarios del disco duro, libera espacio e incluso puede acelerar el rendimiento del PC.

1. Seleccione **Inicio>Todos los programas> Accesorios>Herramientas del sistema> Liberador de espacio** en disco para iniciar la utilidad.

2. En el menú desplegable, seleccione el disco duro que desee limpiar y pulse **Aceptar** (véase la figura 3.14).

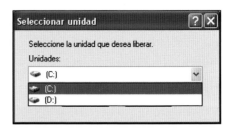

Figura 3.14.
Seleccione el disco duro que desee limpiar.

3. Sea paciente. Windows puede tardar en analizar el disco, como se indica en la figura 3.15. Cuando finalice el análisis, Windows muestra las categorías de archivos que considera que puede eliminar.

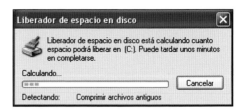

Figura 3.15.
Tenga paciencia. Este cuadro indica que Windows está analizando el disco duro.

4. Haga clic sobre una categoría para ver la descripción de los archivos seleccionados para su eliminación. Si desea ver una lista de los archivos de cada categoría, haga clic en **Ver archivos** (véase la figura 3.16).

Figura 3.16.
Seleccione una categoría y haga clic en Ver archivos para ver todos los archivos y carpetas que se van a eliminar.

5. Compruebe que no va a eliminar ningún archivo importante, especialmente los de la **Papelera de reciclaje** (véase la figura 3.17).

6. Haga clic en la ficha **Más opciones** si desea eliminar otros archivos, como se indica en la figura 3.18.

7. Cuando esté listo, pulse **Aceptar** para iniciar el proceso de limpieza.

Eliminar programas de inicio no deseados

Al añadir software el PC, aumenta el número de programas que se inician de forma automática con Windows. Seguramente no necesite que todos estos programas se ejecuten todo el tiempo; consumen memoria y aumentan las probabilidades de problemas de software. Para eliminar los programas que desee, siga los pasos descritos a continuación:

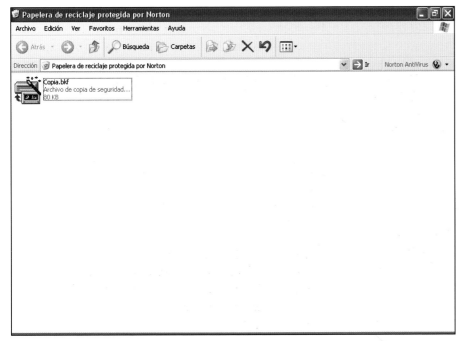

Figura 3.17.
Compruebe los archivos y carpetas de cada categoría antes de eliminarlos, en especial los de la Papelera de reciclaje.

Figura 3.18.
Puede liberar más espacio del disco si elimina puntos de restauración y programas innecesarios.

1. Seleccione **Inicio>Ejecutar** e introduzca **msconfig** en el cuadro de texto indicado en la figura 3.19. Se abrirá la Utilidad de configuración del sistema.

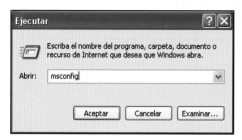

Figura 3.19.
Introduzca msconfig para abrir la Utilidad de configuración del sistema.

2. Seleccione la ficha **Inicio**. Verá una lista de todos los programas que se inician automáticamente con Windows (véase la figura 3.20). Elimine la marca de verificación que aparece junto al nombre del programa para evitar que lo siga haciendo.

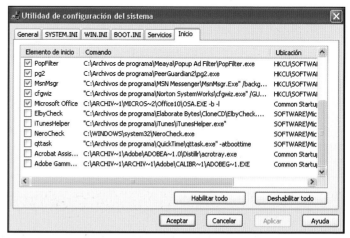

Figura 3.20.
Desactive todos los programas que no necesite o que no reconozca. Para ello, elimine sus marcas de verificación.

 NOTA: La desactivación de un programa que aparezca en la lista de inicio no lo desactiva de forma permanente; simplemente evita que se inicie automáticamente.

3. Haga clic en **Habilitar todo** o **Deshabilitar todo**.

4. Si no está seguro de la función de un determinado programa, busque en **Comando** la ubicación del archivo del programa.

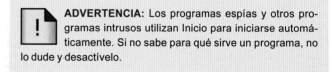 **ADVERTENCIA:** Los programas espías y otros programas intrusos utilizan Inicio para iniciarse automáticamente. Si no sabe para qué sirve un programa, no lo dude y desactívelo.

5. Seleccione los archivos que desee deshabilitar o pulse los botones **Habilitar todo** o **Deshabilitar todo** para controlar todos los programas al mismo tiempo. Recuerde que siempre puede iniciar un programa deshabilitado desde el menú Inicio> Todos los programas, o buscando el archivo ejecutable del programa en el Explorador de Windows y haciendo doble clic sobre él.

6. Reinicie su ordenador para completar el proceso.

Mantener Windows actualizado

Windows XP es un producto en constante evolución y Microsoft ofrece continuas actualizaciones para corregir errores, problemas de seguridad y demás. La actualización de los archivos de Windows es una de las formas más eficaces de mantener el correcto funcionamiento del PC y evitar intrusos no deseados.

1. Seleccione Inicio>Ayuda y soporte técnico. En el grupo Elegir una tarea, seleccione Mantenga actualizado su equipo con Windows Update (véase la figura 3.21).

2. Windows analizará el PC y le ofrecerá dos opciones. Seleccione **Rápida** para instalar actualizaciones básicas o **Personalizada** para instalar algunas o todas las actualizaciones disponibles (véase la figura 3.22).

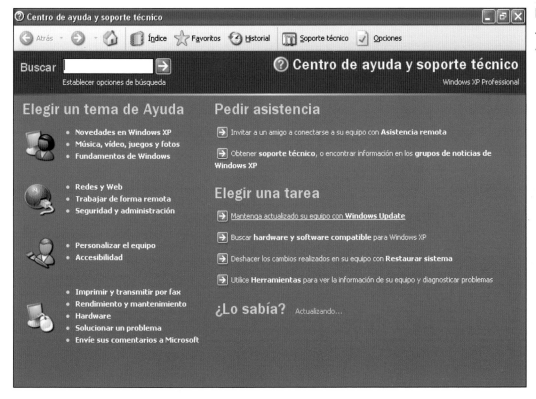

Figura 3.21.
Seleccione Windows Update en la lista de tareas.

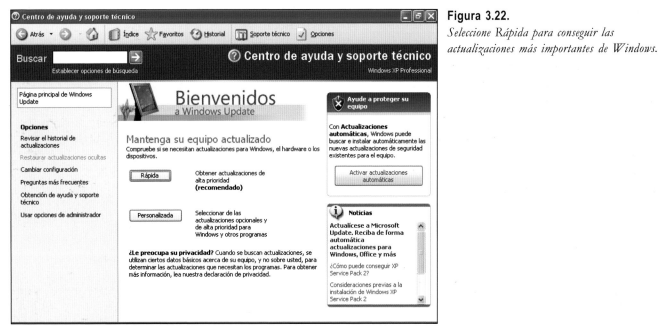

Figura 3.22.
Seleccione Rápida para conseguir las actualizaciones más importantes de Windows.

3. Windows puede descargar automáticamente actualizaciones e indicarle cuándo están listas para su instalación. Para activar esta función, ejecute Inicio>Panel de control>Sistema y seleccione la ficha **Actualizaciones automáticas**. Seleccione **Descargar actualizaciones por mí, pero permitirme elegir cuándo instalarlas**, como se indica en la figura 3.23.

LABORES DE LIMPIEZA DEL PC

Un PC limpio es un PC feliz. Un PC sucio no. El exceso de polvo y suciedad puede provocar el sobrecalentamiento del ordenador y su destrucción, que el ratón se comporte incorrectamente o que las teclas del teclado no funcionen. Evite que el polvo y la suciedad se acumule, y limpie periódicamente su PC.

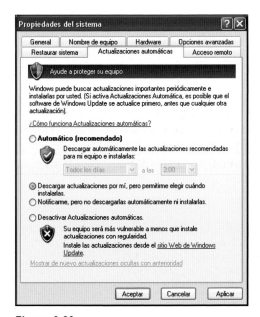

Figura 3.23.
Configure su PC para actualizar Windows de forma automática.

Limpiar la carcasa del PC

La limpieza regular de la carcasa del PC puede aumentar la vida del ordenador, sobre todo si se encuentra en un entorno con elevadas temperaturas o exceso de polvo y suciedad. Los ordenadores están diseñados para disipar el calor generado por la fuente de alimentación y demás componentes. Los ventiladores cubiertos de polvo pueden provocar el sobrecalentamiento del PC, que se comporte de formas extrañas e incluso que deje de funcionar.

> **TRUCO:** El humo del tabaco es especialmente dañino para los ordenadores, ya que crea una capa sobre los chips en la que se acumula la suciedad y que puede corroer los componentes más delicados. Si fuma cerca de su PC, utilice un cenicero especial y asegúrese de que la habitación está bien ventilada.

1. Para realizar una limpieza superficial, frote la carcasa exterior del ordenador con un paño seco. Examine los ventiladores y utilice aire comprimido para eliminar el polvo y demás agentes. Como mínimo, todos los ordenadores tienen un ventilador incorporado en la fuente de alimentación, que suele encontrarse en la parte trasera de la carcasa (véase la figura 3.24). Sin embargo, los equipos más potentes también tienen ventiladores secundarios para garantizar una temperatura correcta.

> **ADVERTENCIA:** No use líquido limpiador directamente sobre la superficie del ordenador, el monitor o cualquier otro dispositivo (véase la figura 3.25). De esta forma evitará que el líquido se derrame sobre algún componente. Aplique la solución limpiadora sobre un paño y frótelo para limpiar la superficie en cuestión.

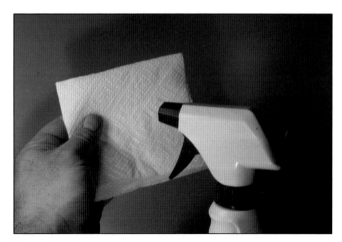

Figura 3.24.
Limpie el polvo de los ventiladores de su ordenador.

Figura 3.25.
No aplique líquido limpiador directamente sobre el ordenador; utilice un paño.

2. Para realizar una limpieza más completa, abra la carcasa del ordenador. Adopte las precauciones necesarias para trabajar en el interior del PC, como indicamos en un capítulo anterior.

3. Elimine el polvo del interior de la carcasa. Limpie las superficies con un paño antiestático y evite tocar las placas de circuitos.

   Los botes de aire comprimido (véase la figura 3.26) resultan muy útiles para eliminar la suciedad de lugares de difícil acceso pero recuerde que el objetivo es eliminar el polvo, no cambiarlo de sitio. También puede utilizar un pequeño aspirador. Tenga cuidado con el ventilador de la CPU.

Figura 3.26.
Los botes de aire comprimido permiten eliminar el polvo de puntos de difícil acceso.

CREAR UN KIT DE LIMPIEZA

Para limpiar correctamente un PC se necesitan los productos adecuados. Los encontrará en su tienda de informática o en cualquier supermercado.

- **Solución limpiadora:** Puede adquirir cualquiera de los numerosos productos de limpieza especializados que verá en las tiendas de informática aunque también le bastará con agua diluida con una solución no agresiva como Formula 409 o Simple Green.

- **Isopropanol:** El alcohol de farmacia también puede serle de utilidad.

- **Bote de aire comprimido:** Con un precio inferior a los 10 euros.

- **Aspirador para PC:** El pequeño aspirador MiniVak de Belkin de la figura cuesta menos de 12 euros y resulta perfecto para eliminar polvo de lugares de difícil acceso (www.belkin.com).

- **Paños antiestáticos de algodón:** Evitan que el polvo se acumule en el interior de la carcasa y que obstruya las unidades ópticas.

- **Bastoncillos de algodón:** Resultan perfectos para acceder a recovecos y hendiduras.

Limpiar el ratón

Si su ratón se comporta de forma extraña o si el puntero se detiene de repente o se mueve de forma poco habitual, es muy probable que el ratón esté sucio. Siga los pasos descritos a continuación para limpiarlo:

1. Apague el ordenador y desconecte el ratón.

2. Busque una superficie de trabajo limpia con suficiente luz.

3. Déle la vuelta al ratón. Gire y desprenda el pequeño anillo de plástico que sostiene la bola de goma para poder acceder a la misma.

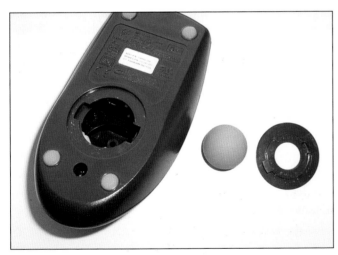

Para abrir el ratón, gire el anillo de plástico en sentido contrario a las agujas del reloj para sacar la bola.

4. Examine el interior del ratón. Verá dos pequeños rodillos de plástico separados en unos 90 grados. Uno de los rodillos mueve el puntero verticalmente y el otro lo hace horizontalmente. La suciedad suele acumularse en los rodillos e impide que el ratón se mueva correctamente.

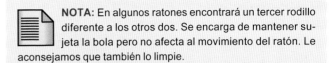

NOTA: En algunos ratones encontrará un tercer rodillo diferente a los otros dos. Se encarga de mantener sujeta la bola pero no afecta al movimiento del ratón. Le aconsejamos que también lo limpie.

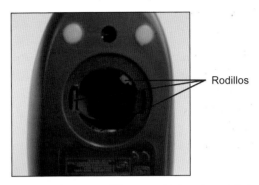

Rodillos

Examine los tres rodillos para eliminar la suciedad.

5. Utilice un objeto afilado como por ejemplo la punta de un bolígrafo o un clip, para desprender la suciedad acumulada. Asegúrese de limpiar toda la superficie de los rodillos.

Utilice la punta de un objeto afilado para desprender la suciedad acumulada en los rodillos.

6. Gire el ratón para que la suciedad se desprenda por el orificio del ratón. Con ayuda de un bote de aire comprimido podrá llegar a puntos de difícil acceso.

7. Limpie la bola con agua y jabón, séquela, vuelva a introducirla en el ratón y encaje el anillo de plástico.

Limpiar el teclado

Los teclados son imanes para la suciedad y el polvo; restos de comida, trozos de papel y todo lo que pueda introducirse en el espacio entre las teclas puede impedir el funcionamiento correcto del teclado.

1. Apague el ordenador y desconecte el teclado.

2. Para limpiar la superficie, frote la parte exterior y las teclas con un paño humedecido ligeramente con agua y jabón.

3. Gire el teclado y utilice un bote de aire comprimido para desprender la suciedad acumulada entre las teclas.

4. Si las teclas están pegadas o prefiere realizar una limpieza más completa, tendrá que sacarlas del teclado. Puede sacar una tecla si aplica presión sobre el borde inferior de la misma. También puede apretar simultáneamente a ambos lados.

Si aplica una leve presión podrá sacar la tecla del teclado.

TRUCO: En las tiendas de informática va a encontrar herramientas especiales para sacar teclas del teclado, aunque puede utilizar cualquier objeto de punta roma.

ADVERTENCIA: Prácticamente en todos los teclados pueden quitarse las teclas, pero algunas están más sujetas que otras. No aplique demasiada fuerza para sacar una tecla, ya que puede dañar la sujeción de la misma.

5. Limpie por debajo de las teclas con un bastoncillo de algodón humedecido con agua y jabón. Seque con un paño antes de volver a encajar las teclas.

Saque varias teclas y limpie la superficie que ocupan.

TRUCO: Es aconsejable sacar y limpiar las teclas en pequeñas cantidades, ya que puede equivocarse con respecto a la ubicación que ocupan. Si desea quitar todas las teclas al mismo tiempo, realice una fotografía del teclado o utilice un teclado adicional como referencia visual.

Limpiar el monitor

Los monitores CTR estándar, en oposición a las pantallas LCD planas, suelen atraer el polvo y generan campos eléctricos que atraen las partículas de polvo en suspensión hacia la pantalla del monitor.

1. Apague el monitor y desconéctelo.

2. Limpie el polvo de la pantalla y de la carcasa con un paño seco. Preste especial atención a los conductos de ventilación que puedan estar obstruidos, ya que puede producirse un sobrecalentamiento en el monitor. Evite que entre polvo en la carcasa.

3. Limpie la pantalla con un producto limpiador de cristales convencional y un paño seco.

ADVERTENCIA: Algunos monitores cuentan con un revestimiento especial en las pantallas y no deben limpiarse con productos de limpieza convencionales. Consulte con el fabricante del equipo o del monitor antes de limpiarlo.

CUÁNDO LIMPIAR EL PC

La frecuencia con la que debe limpiar su ordenador depende del entorno en el que lo utilice. Si el PC se encuentra en una oficina o una casa con un ambiente controlado, puede bastarle con una vez al año o cada seis meses. No obstante, si se encuentra en una habitación en la que se fume, en un garaje o cerca de una ventana próxima a la calle, conviene limpiarlo una vez al mes o con mayor frecuencia para evitar que se estropee. Fíjese en los ventiladores del ordenador; si muestran demasiado polvo significa que ha esperado demasiado.

LIMPIAR UN MONITOR LCD

Utilice un paño de algodón seco para eliminar el polvo de su monitor LCD. Si desea una mayor limpieza, humedezca el paño con isopropanol aunque primero debe consultar el manual de su pantalla o visitar la página Web del fabricante. Algunos monitores tienen un revestimiento especial que necesita determinados productos de limpieza.

Limpiar la unidad de CD-ROM o DVD

A menos que el exceso de polvo o suciedad sea evidente, las unidades de CD-ROM y DVD suelen permanecer limpias y, en la mayoría de los casos, los problemas relacionados con la lente no se deben a exceso de suciedad. No obstante, puede adquirir un producto de limpieza especial para unidades ópticas en cualquier tienda de informática. Estos productos suelen incluir un CD o un DVD que debe introducir en su unidad y que, al girar, elimina el polvo y los residuos del sistema óptico de la misma.

No obstante, algunos fabricantes de unidades ópticas no recomiendan el uso de estos discos limpiadores, ya que consideran que pueden dañar los delicados mecanismos de las unidades. Por ello, le aconsejamos que los utilice en última instancia y como solución desesperada para limpiar su unidad.

 TRUCO: Intente eliminar la suciedad de su unidad de CD-ROM o DVD con una pequeña ráfaga de aire comprimido. No introduzca el bote excesivamente en la unidad, ya que puede dañar los sensibles mecanismos de la misma.

LIMPIAR UN CD-ROM

La más mínima mota de suciedad puede acabar con un CD-ROM o DVD, e impedir que se lea correctamente en el ordenador. Para limpiar un CD o un DVD, utilice un paño de algodón ligeramente humedecido con agua y jabón. Frote la superficie desde el interior hacia el exterior para de esta forma minimizar los daños en caso de que se produzcan arañazos.

Limpie los CD y DVD desde el interior hacia el exterior.

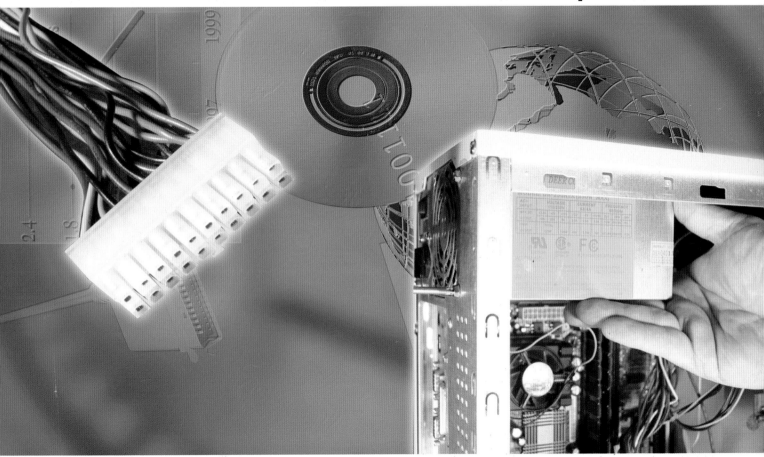

Capítulo 4

Solucionar problemas de inicio y fallos de Windows

Windows XP puede comportarse de forma extraña por distintos motivos: programas de software que no funcionan correctamente entre sí, fallos de alimentación que pueden destruir archivos y la acumulación de programas y otros archivos con el paso del tiempo. A continuación le ofrecemos las soluciones más rápidas para los problemas más habituales de Windows, desde inicios lentos hasta colapsos completos del sistema.

DESHACER CAMBIOS RECIENTES

La mayoría de los problemas de software se producen por cambios recientes en el ordenador. Puede que no resulte sencillo solucionar los efectos de un corte de alimentación o del derrame de café sobre el teclado pero si se trata de un producto de hardware o software recién instalado, pruebe a desinstalarlo.

Eliminar software

Casi todos los programas de software se pueden desinstalar en Windows XP mediante la utilidad Agregar o quitar programas del Panel de control.

1. Haga clic sobre el listado de programas que aparece bajo Inicio>Todos los programas. Haga clic con el botón derecho del ratón sobre el programa que desee desinstalar. Si incluye la opción Desinstalar, utilícela, como se indica en la figura 4.1.

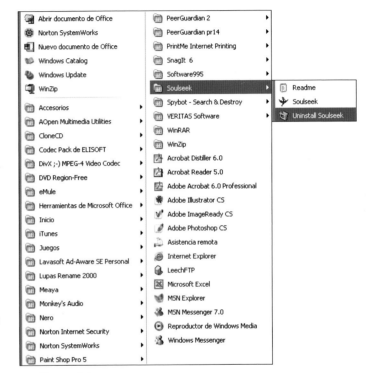

Figura 4.1.
Si un programa le ofrece la opción de desinstalación, utilícela.

2. Si no se incluye dicha opción, ejecute Inicio> Panel de control y seleccione Agregar o quitar programas (véase la figura 4.2).

3. Desplácese por la lista de programas instalados hasta localizar el que desee eliminar. Selecciónelo y pulse el botón **Cambiar o quitar.**

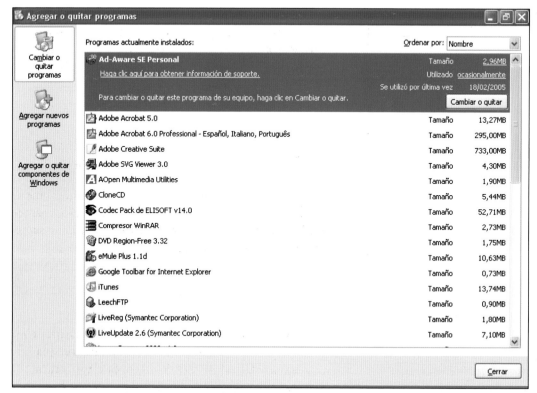

Figura 4.2.
Puede eliminar cualquier programa con la utilidad Agregar o quitar programas del Panel de control.

Eliminar hardware

La eliminación de un nuevo producto de hardware del PC se divide en dos pasos: en primer lugar, eliminar físicamente el hardware del ordenador y, tras ello, desinstalar todos los controladores y demás software de Windows XP. Muchas de las instrucciones, directrices y consejos de seguridad que le ofreceremos en un capítulo posterior se aplican tanto a la eliminación de dispositivos como a su instalación. Le aconsejamos que consulte este capítulo antes de desinstalar cualquier producto de software.

Una vez eliminado físicamente el dispositivo, reinicie su ordenador y elimine los controladores de Windows XP.

1. Abra el **Administrador de dispositivos**. Seleccione el dispositivo adecuado y pulse la tecla **Supr** (véase la figura 4.3).

2. Cuando Windows le pida que confirme la eliminación del dispositivo, pulse **Aceptar**, como se indica en la figura 4.4.

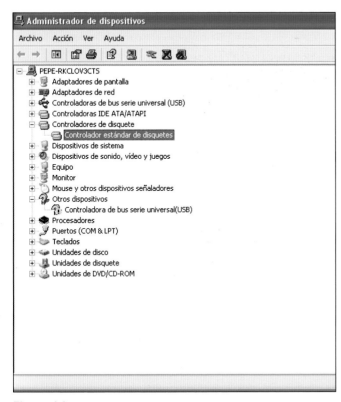

Figura 4.3.
Para eliminar un dispositivo de hardware de Windows, tendrá que seleccionarlo en el Administrador de dispositivos.

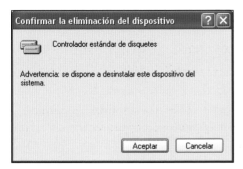

Figura 4.4.
Confirme la eliminación del dispositivo.

3. Cierre el **Administrador de dispositivos** y reinicie su ordenador. Vuelva a abrir el **Administrador de dispositivos** para confirmar la desaparición del dispositivo. En ocasiones tendrá que eliminarlo dos o tres veces antes de que desaparezca definitivamente.

LA PANTALLA APARECE VACÍA

Se sienta delante de su ordenador, lo enciende, toma el primer sorbo de café del día y nada, la pantalla aparece en blanco. No pierda los nervios. Este problema suele resultar fácil de solucionar.

Comprobar la alimentación

- La mayoría de ordenadores y monitores cuenta con un pequeño indicador luminoso que indica si la unidad recibe alimentación o no. Si estos indicadores están apagados, significa que no reciben alimentación. Desenchufe y vuelva a enchufar todos los cables de alimentación. Compruebe que la regleta funciona correctamente. El protector de corriente ilustrado en la figura 4.5 cuenta con un interruptor en la parte superior y un interruptor de circuito en el extremo.

- Si el indicador luminoso de su ordenador está encendido pero el del monitor no, pase al siguiente apartado. Si sucede lo contrario, es decir, que la luz del monitor esté encendida pero la del ordenador no, apague el PC, vuélvalo a encender y escuche con atención; escuchará cómo se inicia la fuente de alimentación y el disco duro. Si no oye nada, consulte el apartado sobre conexiones internas.

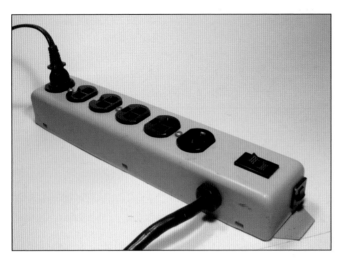

Figura 4.5.

Compruebe los interruptores y fusibles de protectores y regletas.

Comprobar el monitor

- Si el indicador luminoso del ordenador no está encendido, compruebe ambos extremos del cable de alimentación; algunos monitores cuentan con cables que se conectan por ambos extremos (véase la figura 4.6). Si es el caso, intente intercambiar el cable por el cable de alimentación del ordenador. Si parece que el monitor recibe alimentación pero no responde, puede que tenga que adquirir un nuevo monitor.

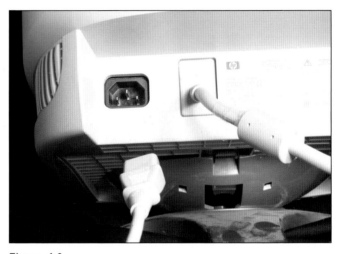

Figura 4.6.

Compruebe que ambos extremos del cable de alimentación del ordenador están conectados.

- Compruebe el cable VGA que conecta la parte trasera del monitor con el ordenador. Desenchúfelo y vuelva a introducir ambos extremos del cable (véase la figura 4.7).

- Compruebe los controles de brillo y contraste del monitor, que suelen estar en la parte frontal. Si están completamente girados, puede que la pantalla aparezca en blanco (véase la figura 4.8).

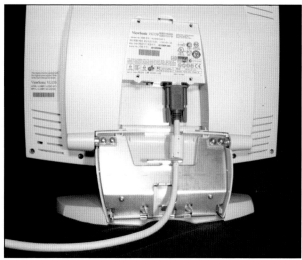

Figura 4.7.
Compruebe que ambos extremos del cable VGA del monitor están bien conectados.

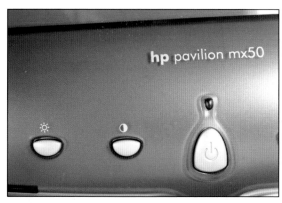

Figura 4.8.
Compruebe los controles de brillo y contraste del monitor.

TRUCO: Una forma rápida y sencilla de determinar si el monitor o el PC funciona correctamente consiste en conectar el monitor a un ordenador portátil. La mayoría de portátiles cuenta con un puerto VGA o un cable adaptador que permiten la conexión de un monitor convencional. Si el monitor funciona, el problema está en el PC.

Comprobar las conexiones internas

Si su ordenador no recibe alimentación, tendrá que abrir la carcasa e investigar. En ocasiones una conexión interna incorrecta puede impedir que el ordenador se inicie.

1. Abra la carcasa del PC. Siga las directrices de seguridad proporcionadas en un capítulo anterior.

2. Compruebe los conectores de alimentación de todos los dispositivos del PC. Cada dispositivo tiene un pequeño conector de plástico de color blanco con un cable conectado a la fuente de alimentación. En la figura 4.9 se reproduce uno de estos conectores correspondiente a un disco duro. Desenchufe y vuelva a enchufar los conectores de todos los dispositivos. Puede que le resulte difícil desenchufarlos. En realidad, un cable de alimentación suelto puede provocar todo tipo de problemas.

Figura 4.9.
Compruebe los cables de alimentación de todos los dispositivos internos.

TRUCO: Si desplaza el conector lateralmente con suavidad, le resultará más sencillo desenchufarlo.

3. Tenga cuidado al volver a enchufar el conector blanco que alimenta la placa base (véase figura 4.10). Puede que tenga una especie de patilla en uno o en ambos extremos que haya que presionar para desenchufarlo.

ADVERTENCIA: Al desenchufar el conector de alimentación de la placa base, evite hacer presión sobre la misma, ya que puede dañar los delicados circuitos internos.

4. Una vez comprobados los conectores de todos los dispositivos, deje el ordenador sin tapar, vuelva a introducir el cable de alimentación y encienda su equipo. Busque señales de vida. Si oye cómo gira el ventilador de la fuente de alimentación y el de la CPU, significa que la placa base recibe alimentación. Si no escucha nada ni ve ninguna luz, puede que la fuente de alimentación haya pasado a mejor vida. Compruebe el conector una vez más para asegurarse.

Figura 4.10.
El conector de alimentación de la placa base es de mayor tamaño que los demás.

5. Para certificar la defunción de la fuente de alimentación, puede utilizar un medidor como el modelo ATX Power Supply Tester de Antec (www.antec.com) que encontrará en cualquier tienda de informática por menos de 15 euros (véase la figura 4.11).

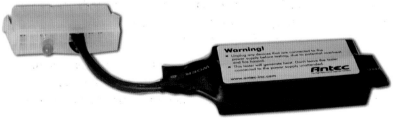

Figura 4.11.
Puede comprobar su fuente de alimentación con un medidor.

ACTUALIZAR LA BIOS

La BIOS de su ordenador, como cualquier otro programa de software, debe actualizarse, ya que en ocasiones puede presentar problemas. La actualización de la BIOS es una tarea sencilla pero también proclive a errores. Siga estos pasos:

1. Anote la versión exacta de la BIOS que utilice su ordenador. Para saber cuál es, encienda el ordenador y fíjese en la pantalla: uno de los primeros elementos que aparecen es el número de versión de la BIOS. Si aparece demasiado rápido, pulse la tecla **Pausa** y, tras ello, cualquier otra tecla para continuar. Haga clic en **Esc** si desear ver los mensajes de inicio del equipo.

2. Anote el número de modelo de su ordenador.

3. Desplácese hasta el sitio Web del fabricante y busque las actualizaciones de la BIOS en la sección de descargas, de asistencia técnica o similar.

4. Si encuentra una versión actualizada de la BIOS, descárguela. Sólo debe descargar e instalar la versión recomendada para su equipo. Si intenta instalar otra versión diferente puede acabar definitivamente con su ordenador.

5. Busque las instrucciones de instalación. En ocasiones, suelen incluirse en un archivo de texto junto al archivo actualizado de la BIOS. En otros casos, se ofrecen en la página de descargas del sitio Web. Siga estas instrucciones al pie de la letra. Una instalación incorrecta de la BIOS puede inutilizar su equipo.

6. Algunas empresas como Dell le permiten ejecutar la utilidad de actualización de la BIOS desde Windows. En otros casos, es necesario introducir un disquete y reiniciar el equipo desde el mismo.

EL PC SE BLOQUEA DURANTE EL INICIO DE WINDOWS

Enciende su ordenador, ve el logotipo de Windows en la pantalla y, tras ello, espera eternamente a que el equipo se inicie: Windows sufre un problema de inicio. Afortunadamente, cuenta con distintas herramientas para localizar el problema y repararlo.

Solucionar problemas de inicio

1. Intente iniciar Windows con las herramientas del menú de opciones avanzadas de Windows (véase la figura 4.17). Extraiga todos los medios de las unidades ópticas y de disquete, y reinicie su ordenador. Antes de que se inicie Windows, pulse **F8** para acceder al menú de opciones avanzadas de Windows.

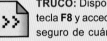 **TRUCO:** Dispone de escasos segundos para pulsar la tecla **F8** y acceder a las opciones avanzadas. Si no está seguro de cuándo hacer clic, mantenga la tecla pulsada durante el proceso de inicio hasta que vea el menú.

2. Si acaba de instalar un nuevo controlador de tarjeta gráfica, utilice las teclas del cursor para seleccionar **Habilitar modo VGA** en el menú de opciones avanzadas. Al hacerlo, Windows se iniciará con una resolución de 640 x 480, evitando todo conflicto con el monitor con la configuración actual. Si Windows consigue iniciarse, consulte el manual de su monitor y configure la tarjeta gráfica a una resolución compatible.

3. Si acaba de instalar nuevo hardware o software, y ha reiniciado su ordenador, pruebe con la opción **La última configuración buena conocida (config. más reciente que funcionó)**. De esta forma se cargan los parámetros básicos de Windows utilizados la última vez que se consiguió un inicio satisfactorio.

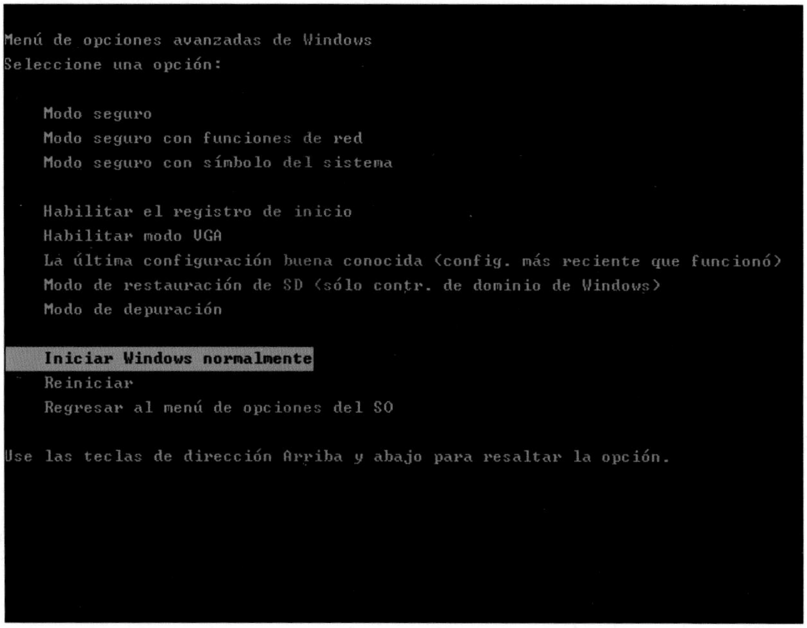

```
Menú de opciones avanzadas de Windows
Seleccione una opción:

    Modo seguro
    Modo seguro con funciones de red
    Modo seguro con símbolo del sistema

    Habilitar el registro de inicio
    Habilitar modo VGA
    La última configuración buena conocida (config. más reciente que funcionó)
    Modo de restauración de SD (sólo contr. de dominio de Windows)
    Modo de depuración

    Iniciar Windows normalmente
    Reiniciar
    Regresar al menú de opciones del SO

Use las teclas de dirección Arriba y abajo para resaltar la opción.
```

Figura 4.17.

El menú de opciones avanzadas de Windows ofrece distintas herramientas para solucionar problemas de inicio de Windows.

 NOTA: La opción La última configuración buena conocida únicamente restaura parámetros de la última vez que Windows se iniciara correctamente. Si los problemas existían antes de dicho momento, esta opción no le resultará de utilidad.

NOTA: No se sorprenda si en Modo seguro el aspecto de Windows es diferente: usa un sencillo controlador VGA para la tarjeta gráfica que puede aplicar parámetros de resolución y profundidad de color distintos.

4. Intente iniciar Windows en **Modo seguro**. Este modo carga una versión reducida de Windows XP que se ejecuta con los controladores y servicios mínimos. Si Windows se inicia en **Modo seguro**, puede intentar reparar los problemas provocados por la configuración del hardware o el software. Para iniciar Windows en **Modo seguro**, seleccione **Modo seguro** en el menú de opciones avanzadas.

COMPROBAR EL HARDWARE

Si su ordenador no se inicia y sospecha que se debe a un fallo de la memoria o de otro componente de hardware, pruebe con Tuff-Test (www.tufftest.com). Este programa de diagnóstico de la empresa #1-PC and Diagnostics Company analiza el ordenador e informa de todos los posibles problemas. La principal ventaja de este programa es que se puede ejecutar desde un disquete sin necesidad de Windows. Si el ordenador no se inicia, introduzca el disquete en la unidad y reinicie el equipo. Puede descargar una versión gratuita del programa, Tufftest-Lite, que analiza la mayoría del hardware del equipo pero sólo los primeros 8 MB de la RAM. Afortunadamente, la versión completa sólo cuesta 10 euros y permite analizar la totalidad del PC.

5. Windows le preguntará qué sistema operativo cargar. Si sólo tiene uno, pulse **Intro**.

6. Al activar el **Modo seguro**, en las esquinas de la pantalla aparecen las palabras **Modo a prueba de errores** (véase la figura 4.18).

7. Si ha instalado nuevo hardware o software, y sospecha que es el causante del problema, use el **Modo seguro** para desinstalarlo, como comentamos en un apartado anterior.

8. Utilice el **Administrador de dispositivos** para localizar problemas de hardware. Con ayuda de la utilidad de configuración de Windows puede realizar un inicio limpio y detectar software que se comporte de forma extraña.

9. Si ninguno de estos métodos funciona, utilice **Restaurar sistema** para recuperar una configuración anterior a la aparición de los problemas (véase la figura 4.19).

Reinstalar Windows

Si no funciona nada, se enfrentará a la última alternativa: la reinstalación de Windows. La reinstalación completa de Windows es una tarea molesta; necesitará horas para volver a configurar todos los parámetros y reinstalar sus programas. Si opta por volver a formatear el disco, lo que seguramente sea aconsejable, también sobrescribirá todos sus archivos de datos.

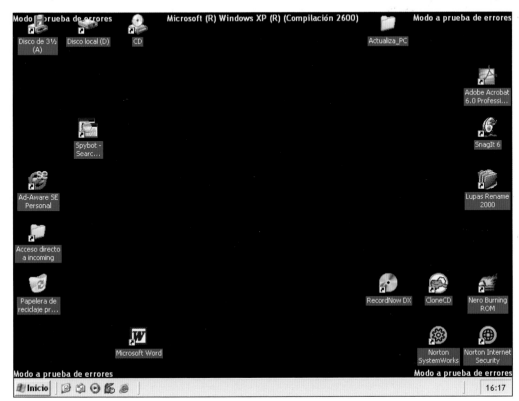

Figura 4.18.

Sabrá que está en Modo seguro cuando vea las palabras Modo a prueba de errores en las esquinas de la pantalla.

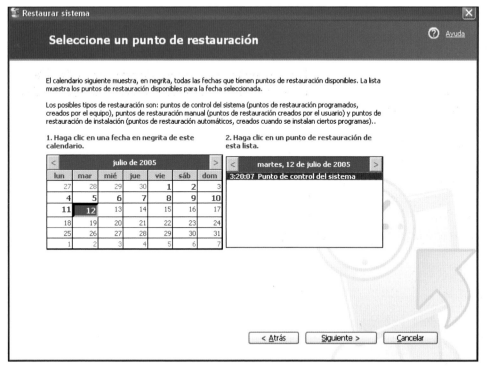

Figura 4.19.
Ejecute Restaurar sistema para conseguir que Windows funcione.

Afortunadamente, Windows XP ofrece una alternativa: se puede realizar una instalación de actualización para renovar los archivos del sistema de Windows sin tener que empezar desde cero. La instalación de actualización siempre debe tenerse en cuenta. Si no funciona, siempre puede realizar una instalación completa. Siga los pasos descritos a continuación:

ADVERTENCIA: Si desea realizar una instalación completa de Windows, compruebe que dispone de todos los controladores de dispositivos del hardware que haya instalado desde la adquisición del PC. Del mismo modo, si ha actualizado algún controlador, compruebe que tiene copias de seguridad de los mismos, ya que tendrá que reinstalarlos tras la nueva instalación de Windows.

NOTA: Estas instrucciones se corresponden al CD de Microsoft Windows XP. Algunos equipos cuentan con un CD personalizado o disco de recuperación, que puede ofrecer opciones y procedimientos de instalación un tanto diferentes.

NOTA: Debe haber configurado el programa de configuración CMOS para que el ordenador se inicie desde el CD-ROM. Acceda a este programa y busque un parámetro de orden de inicio. Seleccione el CD-ROM o DVD como primera unidad de la secuencia de inicio.

1. Introduzca su CD-ROM de Windows en la unidad óptica y reinicie su ordenador.

2. Cuando en pantalla se indique que haga clic en cualquier tecla para iniciar desde el CD, pulse cualquier tecla para iniciar el ordenador desde el CD de Windows XP.

3. En la pantalla inicial, pulse **Intro** para instalar Windows XP. Evite pulsar la tecla **R**, que inicia la consola de recuperación de Windows, una herramienta avanzada para reparar problemas de Windows y del disco duro (véase la figura 4.20).

4. En la pantalla de contrato de licencia, pulse **F8** para aceptar las condiciones (véase la figura 4.21).

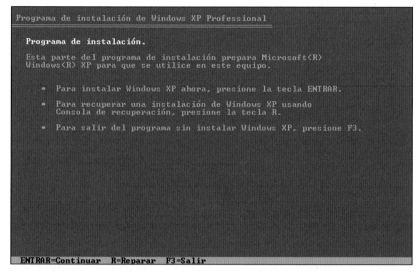

Figura 4.20.
Pulse Intro, no la tecla R, para iniciar la instalación de Windows XP.

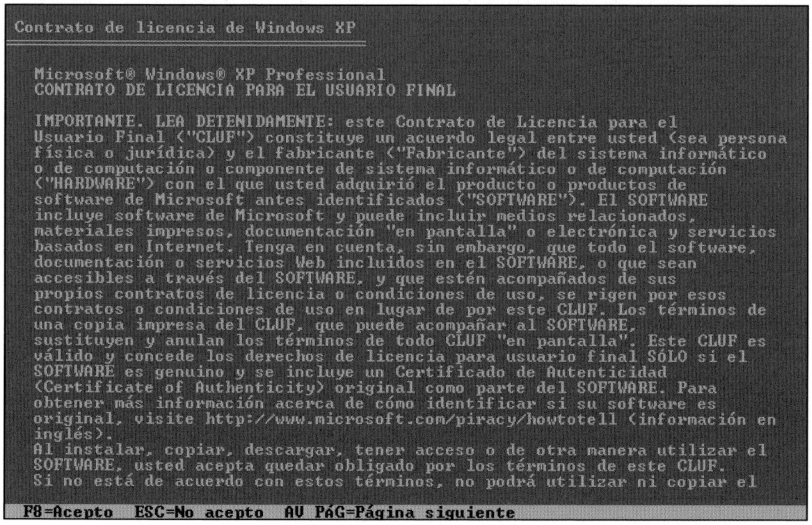

Figura 4.21.
Pulse F8 para aceptar el contrato.

5. Pulse **R** para iniciar la instalación de Windows XP. Siga las instrucciones que aparezcan en pantalla para completar el proceso, como se indica en la figura 4.22.

6. Pulse **Esc** para iniciar una instalación completa de Windows XP. Siga las instrucciones que aparezcan en pantalla para completar el proceso.

 NOTA: Puede que tenga que volver a activar Windows XP tras realizar la instalación de reparación.

EL PC SE BLOQUEA INTERMITENTEMENTE O SE COMPORTA DE FORMA EXTRAÑA

Desafortunadamente, los problemas intermitentes, desde al comportamiento extraño del ratón hasta el bloqueo total del sistema, son habituales en los PC actuales. Cuanto más utilice su PC, con mayor frecuencia aparecerán estos problemas. El hardware y los nuevos programas de software que añada suelen ser el origen de los mismos pero, en ocasiones, se tarda tiempo en detectarlos y parecen ocurrir de forma aleatoria, lo que dificulta su reparación.

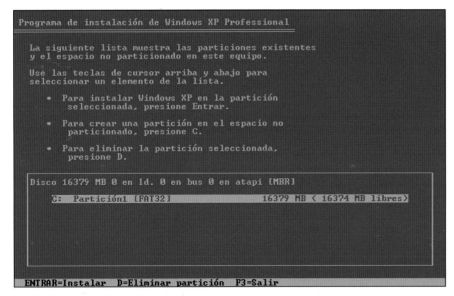

Figura 4.22.

Pulse R para iniciar la instalación de reparación o pulse Esc para iniciar una instalación completa.

CREAR UN ARCHIVO DE REGISTRO DE INICIO

Al iniciarse Windows, inicializa una serie de archivos de controlador. Si tiene problemas para inicializarlos (por que se hayan estropeado), detiene el proceso de inicio. Le podemos indicar a Windows XP que cree una lista de archivos de controladores. El archivo, denominado registro de inicio, registra el nombre del controlador y si se ha iniciado correctamente con Windows. En la siguiente imagen se reproduce uno de estos archivos. La comprobación de la lista no le resultará especialmente útil al usuario medio pero en ocasiones puede ofrecer información interesante. Y tener a mano este registro cuando se habla con un técnico de asistencia puede ahorrarnos tiempo y dinero.

1. Cree el archivo de registro por medio de la opción Habilitar el registro de inicio dentro del menú de opciones avanzadas de Windows.

2. Si Windows se ejecuta en Modo seguro, encontrará su archivo en la carpeta de Windows con ayuda del Explorador. Utilice el Bloc de notas o cualquier otro procesador de texto para abrir y ver el archivo.

```
ntblog.txt - Bloc de notas
Archivo  Edición  Formato  Ver  Ayuda
Loaded driver ftdisk.sys
Loaded driver PartMgr.sys
Loaded driver volSnap.sys
Loaded driver atapi.sys
Loaded driver disk.sys
Loaded driver \WINDOWS\System32\DRIVERS\CLASSPNP.SYS
Loaded driver sr.sys
Loaded driver PQV21.sys
Loaded driver KSecDD.sys
Loaded driver Ntfs.sys
Loaded driver NDIS.sys
Loaded driver sbp2port.sys
Loaded driver Mup.sys
Loaded driver agp440.sys
Did not load driver ACPI Uniprocessor PC
Did not load driver Audio Codecs
Did not load driver Legacy Audio Drivers
Did not load driver Media Control Devices
Did not load driver Legacy Video Capture Devices
Did not load driver Video Codecs
Did not load driver WAN Miniport (L2TP)
Did not load driver WAN Miniport (IP)
Did not load driver WAN Miniport (PPPOE)
Did not load driver WAN Miniport (PPTP)
Did not load driver Packet Scheduler Miniport
Did not load driver Packet Scheduler Miniport
Did not load driver Direct Parallel
Did not load driver Audio Codecs
Did not load driver Legacy Audio Drivers
Did not load driver Media Control Devices
Did not load driver Legacy Video Capture Devices
Did not load driver Video Codecs
Did not load driver WAN Miniport (L2TP)
```

Reparar problemas intermitentes

1. Elimine el hardware o software que haya instalado recientemente, como describimos en un apartado anterior.

2. Utilice el proceso de eliminación para aislar y quitar el hardware o software responsable de los problemas.

3. Recupere una configuración anterior por medio de la utilidad Restaurar sistema.

4. Sustituya archivos de Windows que estén dañados o que falten mediante una instalación de actualización. Consulte un apartado anterior.

5. Si no funciona ninguno de estos procedimientos, tiene dos opciones: solicitar ayuda profesional o reinstalar Windows por completo. Ambas tienen sus ventajas e inconvenientes. La reinstalación de Windows y de todas las aplicaciones puede llevar mucho tiempo. Por otra parte, una reparación técnica puede resultar costosa, ya que para detectar un problema intermitente se necesita mucho tiempo y si ha seguido todos los consejos de este apartado, es muy probable que el técnico acabe por reinstalar Windows.

Realizar un inicio limpio

Un inicio limpio elimina de Windows todos los programas, parámetros y servicios innecesarios. (Los servicios son como pequeños programas que se ejecutan constantemente de fondo.) La Utilidad de configuración del sistema nos permite hacerlo de forma sencilla y eficaz. Si los problemas intermitentes desaparecen tras realizar un inicio limpio, puede identificar el programa o el servicio que los provoca si los vuelve a habilitar individualmente hasta que el problema desaparezca. Si dispone de multitud de software y servicios que se inician automáticamente con Windows, este proceso le llevará cierto tiempo; tendrá que reiniciar tras habilitar cada uno de los programas o servicios.

1. Inicie la **Utilidad de configuración del sistema**. Para ello, introduzca `msconfig` en el cuadro **Ejecutar** (véase la figura 4.23).

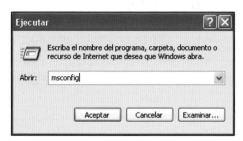

Figura 4.23.
Ejecute Inicio>Ejecutar e introduzca msconfig.

2. En la ficha **General,** marque la opción **Inicio selectivo** (véase la figura 4.24) y, tras ello, anule la selección de las opciones **Procesar archivo SYSTEM.INI** y **Procesar archivo WIN.INI**. Estos archivos contienen los parámetros de configuración de Windows. Anule también la selección de la casilla **Cargar elementos de inicio** para desactivar todos los programas de software que se inician automáticamente con Windows.

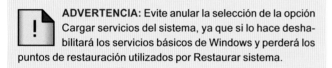

ADVERTENCIA: Evite anular la selección de la opción Cargar servicios del sistema, ya que si lo hace deshabilitará los servicios básicos de Windows y perderá los puntos de restauración utilizados por Restaurar sistema.

Figura 4.24.
Utilice Inicio selectivo en la ficha General para desactivar programas y servicios.

3. Desplácese hasta la ficha **Servicios** para deshabilitar servicios de Windows. En primer lugar, marque la casilla **Ocultar todos los servicios de Microsoft**. Tras ello, haga clic en **Deshabilitar todo**. Pulse **Aceptar** y, tras ello, reinicie su ordenador (véase la figura 4.25). Ahora puede anular la selección de la casilla **Cargar servicios del sistema** de la ficha **General**.

4. Una vez deshabilitado todo, compruebe si el problema ha desaparecido. En caso afirmativo, habilite los elementos desactivados para detectar el origen del problema. En primer lugar, vuelva a seleccionar la opción **Procesar archivo SYSTEM.INI** y, cuando el programa se lo solicite, reinicie el PC (véase la figura 4.26).

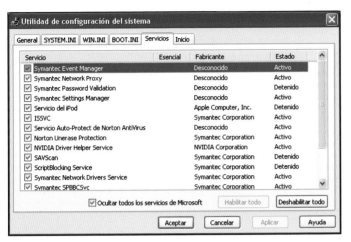

Figura 4.25.
En la ficha Servicios, marque la casilla de verificación Ocultar todos los servicios de Microsoft para evitar deshabilitar servicios importantes de Windows XP.

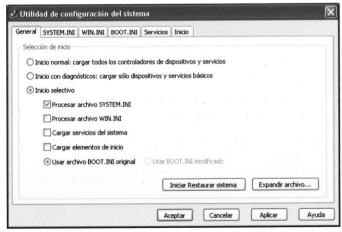

Figura 4.26.
Habilite un elemento por vez y reinicie el PC. Empiece por la opción Procesar archivo SYSTEM.INI.

5. Si el problema persiste, sabrá que se debe a una de las entradas del archivo SYSTEM.INI y que debe realizar el siguiente paso. En caso contrario, repita el proceso anterior con las opciones **Procesar archivo WIN.INI**, **Cargar servicios del sistema** y **Cargar elementos de inicio** hasta determinar cuál es el responsable de los errores.

6. Una vez identificada la opción culpable, abra su ficha. Por ejemplo, para analizar el archivo SYSTEM.INI, seleccione la ficha **SYSTEM.INI**, como se indica en la figura 4.27.

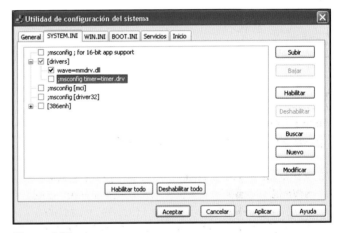

Figura 4.27.
Desactive todas las entradas de la ficha SYSTEM.INI. Para ello, anule la selección de cada una de las casillas.

 ADVERTENCIA: No debe modificar los datos de la ficha BOOT.INI; se trata de datos de configuración esenciales que controlan el inicio de Windows.

7. Continúe con el proceso con todos los elementos de la ficha **SYSTEM.INI** y reinicie su PC. El problema tendrá que desaparecer. Tras ello, vuelva a rehabilitar individualmente todos los elementos, marcando la correspondiente casilla de verificación, y reinicie el PC. Como en el caso anterior, cuando aparezca el problema, el último elemento que haya marcado será el responsable del error y tendrá que eliminarse definitivamente.

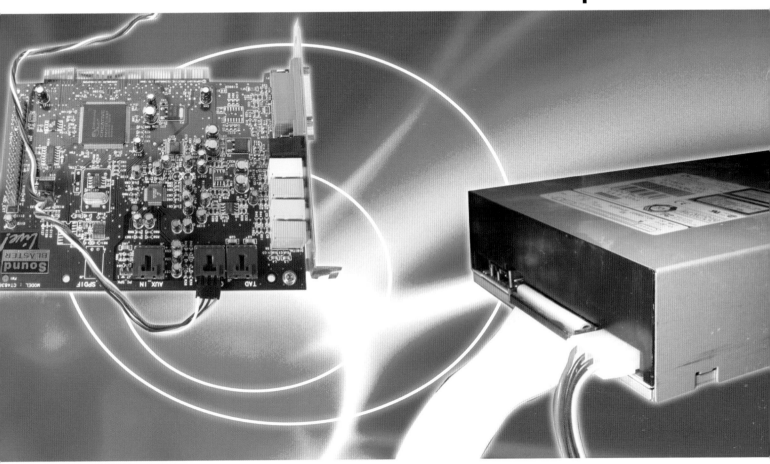

Solucionar problemas de almacenamiento: unidades de CD-ROM, DVD y discos duros

> Capítulo 5. **Solucionar problemas de almacenamiento: unidades de CD-ROM, DVD y discos duros**

Los discos duros y las unidades ópticas almacenan la energía del PC: los archivos de datos y los programas de software y aplicaciones. En este capítulo veremos los problemas más habituales a los que se enfrentará el usuario medio y cómo resolverlos.

UNIDADES DE DVD Y CD-ROM

Las unidades ópticas presentan multitud de formatos: CD-ROM, CD-RW, DVD-ROM, DVD-RW y DVD+RW son los más habituales. Todos tienen básicamente el mismo funcionamiento: un pequeño rayo láser ilumina las pequeñas cavidades de la superficie interior del disco en movimiento y un sensor de la unidad convierte la luz reflejada en los ceros y unos que forman los datos digitales. Si se produce algún error en el láser, en el mecanismo de alineación o en la unidad que gira el medio, probablemente sea necesario cambiar la unidad aunque existen otros problemas más sencillos de solucionar.

La bandeja de la unidad no se abre

1. Compruebe si el interruptor de la unidad es defectuoso. Para ello, haga clic con el botón derecho del ratón sobre el icono de la unidad en el Explorador de Windows y seleccione **Expulsar** (véase la figura 5.1).

2. Si la bandeja no se abre, realice otra prueba. Apague el ordenador y reinícielo. Pulse el botón para abrir la bandeja antes de que se inicie Windows. Si se abre, puede que Windows u otro programa haya deshabilitado el interruptor.

TRUCO: Si hay un CD o DVD atrapado en la unidad óptica y el equipo está apagado, puede abrir la bandeja con un clip. Basta con introducir uno de los extremos del clip en el pequeño orificio delantero, justo por debajo de la bandeja, y luego empujar suavemente. La bandeja se abrirá sin dificultad.

3. Si la unidad sigue sin abrirse, abra la carcasa del PC y compruebe el conector de alimentación y el cable de datos (véase la figura 5.2).

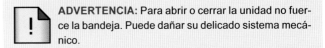

ADVERTENCIA: Para abrir o cerrar la unidad no fuerce la bandeja. Puede dañar su delicado sistema mecánico.

4. Reinicie el PC y vuelva a intentar abrir la unidad. Si no lo consigue, tendrá que repararla o cambiarla.

NOTA: En muchos casos, la reparación de una unidad óptica es más costosa que su sustitución. Consiga un presupuesto y compárelo con el coste de una nueva unidad.

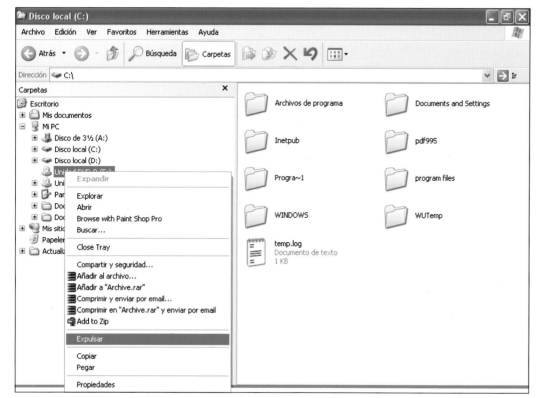

Figura 5.1.
Haga clic con el botón derecho del ratón sobre el icono de la unidad óptica y seleccione Expulsar para probar el interruptor de la unidad.

Figura 5.2.
Vuelva a encajar los cables de alimentación y de datos de la parte posterior de la unidad.

La unidad vibra al reproducir un disco

Las vibraciones anormales suelen deberse al DVD o CD-ROM, no a la unidad óptica. Las unidades ópticas hacen que los discos giren muy rápidamente y si un disco no está bien equilibrado, por problemas de diseño, puede que vibre u oscile excesivamente al empezar a girar.

No se puede reparar un disco desequilibrado pero antes de desecharlo, intente encontrar una unidad que lo pueda leer y realice una copia del disco.

Iniciar un CD o DVD automáticamente

Seguramente haya comprobado que en ocasiones, al introducir un CD o DVD en la unidad, se inicia de forma automática un programa del mismo. Puede ser una función útil, como por ejemplo al instalar por primera vez un programa de software, aunque también puede llegar a ser molesto si no desea que se inicie el CD.

Windows XP usa dos funciones para iniciar software desde un CD o DVD recién introducido en la unidad: **Ejecución automática** y **Reproducción automática**, y ambas se pueden deshabilitar.

Ejecución automática

Al introducir un CD o un DVD en una unidad, Windows XP busca un pequeño archivo de texto con el nombre `Autorun.inf`. Este archivo indica a Windows qué programa del CD debe iniciar de forma automática. Para evitar que Windows inicie el programa, mantenga pulsada la tecla **Mayús** al iniciar por primera vez el CD o el DVD.

Para desactivar esta función de forma permanente, tendrá que desactivar la función **Reproducción automática** para todos los tipos de medios, como veremos en el siguiente apartado.

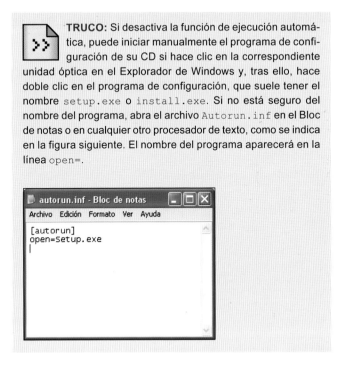

TRUCO: Si desactiva la función de ejecución automática, puede iniciar manualmente el programa de configuración de su CD si hace clic en la correspondiente unidad óptica en el Explorador de Windows y, tras ello, hace doble clic en el programa de configuración, que suele tener el nombre `setup.exe` o `install.exe`. Si no está seguro del nombre del programa, abra el archivo `Autorun.inf` en el Bloc de notas o en cualquier otro procesador de texto, como se indica en la figura siguiente. El nombre del programa aparecerá en la línea `open=`.

Reproducción automática

La función **Reproducción automática** configura Windows XP para que inicie, o bien, manipule de forma automática determinados tipos de archivos multimedia con el programa que seleccionemos. Por ejemplo, al introducir un CD con fotografías, podemos configurar Windows para que inicie automáticamente el visor de fax. Siga los pasos descritos a continuación para configurar o desactivar la reproducción automática:

1. Seleccione **Inicio>Mi PC** y haga clic con el botón derecho del ratón sobre su unidad óptica. Seleccione **Propiedades** y, tras ello, la ficha **Reproducción automática** (véase la figura 5.3).

Figura 5.3.
Seleccione la ficha Reproducción automática.

2. En el menú desplegable situado en la parte superior de la ficha, seleccione el tipo de archivo multimedia que desee configurar, como vemos en la figura 5.4.

Figura 5.4.
Seleccione el tipo de archivo que desee configurar.

3. En el grupo **Acciones**, marque la opción **Selec-cionar la acción que desea ejecutar**. Seleccione

una de las opciones enumeradas en la ventana. Si no desea realizar ninguna acción, seleccione el círculo de color rojo incluido al final de la lista (véase la figura 5.5).

Figura 5.5.
Para deshabilitar la reproducción automática para un determinado tipo de medio, seleccione el círculo rojo incluido al final de la lista.

Windows no reconoce la unidad óptica

Si ejecuta **Inicio>Mi PC** y no ve su unidad óptica, siga los pasos descritos a continuación:

1. Compruebe el **Administrador de dispositivos**. Seleccione **Inicio**, haga clic con el botón derecho del ratón sobre **Mi PC**, seleccione la ficha **Hardware** y haga clic en el botón **Administrador de dispositivos**.

2. Haga doble clic sobre **Unidades de DVD/ CD-ROM**. Si aparece su unidad óptica, haga doble clic sobre la misma y busque mensajes de error en el grupo **Estado del dispositivo**, en la ficha **General** (véase la figura 5.6).

Figura 5.6.
Busque mensajes de error en el Administrador de dispositivos.

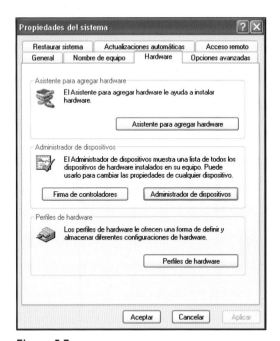

Figura 5.7.
Abra el Asistente para agregar hardware en las propiedades del sistema.

3. Si su unidad no aparece en el **Administrador de dispositivos**, pruebe con el **Asistente para agregar hardware**. Ejecute **Inicio>Panel de control>Impresoras y demás hardware**, y seleccione **Asistente para agregar hardware** en la parte izquierda de la pantalla, como se indica en la figura 5.7.

4. En la pantalla **Éste es el Asistente para agregar hardware**, haga clic en el botón **Siguiente** (véase la figura 5.8).

5. El asistente analizará el ordenador y le preguntará si ya ha instalado el hardware. Seleccione **Sí, ya he conectado el hardware** y pulse **Siguiente**, como se indica en la figura 5.9.

Figura 5.8.
En la pantalla de bienvenida, pulse Siguiente.

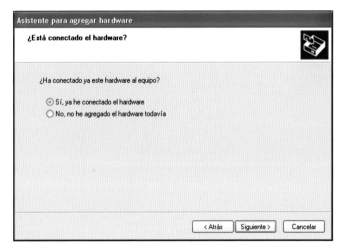

Figura 5.9.
Seleccione Sí, ya he conectado el hardware.

6. En la siguiente pantalla, desplácese hasta el final de la lista de hardware instalado y seleccione la última entrada, **Agregar un nuevo dispositivo de hardware**. Pulse **Siguiente** (véase la figura 5.10).

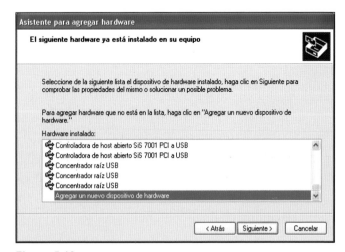

Figura 5.10.
Desplácese hasta el final de la lista y seleccione Agregar un nuevo dispositivo de hardware.

7. En la siguiente pantalla, bajo **¿Qué desea que haga el asistente?**, seleccione **Buscar e instalar el hardware automáticamente (recomendado)** y pulse **Siguiente**. Windows buscará en el ordenador y, si todo es correcto, volverá a instalar la unidad óptica (véase la figura 5.11).

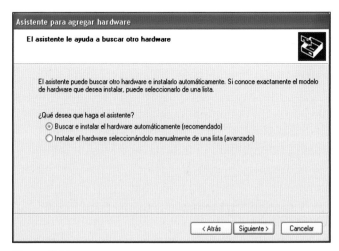

Figura 5.11.
Seleccione Buscar e instalar el hardware automáticamente.

8. Si Windows sigue sin reconocer la unidad, compruebe si la BIOS la reconoce al iniciar el ordenador. Reinicie el equipo y busque advertencias en la pantalla que confirmen que la unidad óptica se ha inicializado. Si no ve ninguna advertencia, apague el ordenador, abra la carcasa y compruebe los cables de datos y de alimentación de la unidad.

 TRUCO: Algunos ordenadores no muestran advertencias de inicio. Si es su caso, pruebe a pulsar la tecla **Esc** justo después de encender el ordenador.

La unidad no reproduce CD de audio

En primer lugar, compruebe los niveles de volumen. Si son correctos, puede deberse a dos problemas habituales que interfieren con la reproducción de CD de audio en una unidad óptica.

 TRUCO: Una forma más indicada de saber si la unidad óptica funciona consiste en conectar unos auriculares a la entrada delantera de la unidad y reproducir un CD de audio. Si funciona, el problema se debe a la conexión del PC a los altavoces.

Falta el cable de audio

En ordenadores equipados con altavoces analógicos conectados a la tarjeta de sonido, hay un pequeño cable en el PC que transmite la señal analógica de la unidad óptica hasta la tarjeta de sonido o la placa base (véase la figura 5.12). En ocasiones este cable se desconecta y, en otros casos, desaparece por completo. Su sustitución no es complicada:

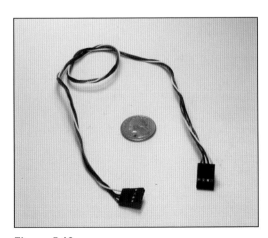

Figura 5.12.
Puede encontrar este cable en cualquier tienda de informática.

1. Compre un cable nuevo, que podrá encontrar en cualquier tienda de informática por menos de cinco euros.

2. Abra la carcasa del ordenador. Conecte un extremo del cable a la parte trasera de la unidad óptica. Si ya está conectado, desenchúfelo y vuélvalo a conectar (véase la figura 5.13).

 ADVERTENCIA: Los pequeños conectores de los cables de audio son difíciles de encajar. Evite doblarlos al introducir o sacar el conector.

Figura 5.13.
Conecte el cable a la parte posterior de la unidad óptica.

3. Haga lo mismo con el otro extremo. Conéctelo a la correspondiente entrada de la tarjeta de sonido o la placa base. En las tarjetas de sonido, suele encontrarse en el borde superior y es el único en el que encaja el conector. En las placas base suele estar más oculto. Consulte el manual de usuario de su ordenador (véase la figura 5.14).

Figura 5.14.
Conecte el otro extremo a su tarjeta de sonido.

Altavoces digitales

Si utiliza altavoces digitales conectados a su PC a través de un puerto USB, puede que tenga que configurar su unidad para salida digital.

1. Seleccione **Inicio,** haga clic con el botón derecho del ratón sobre **Mi PC** y seleccione **Propiedades.**

2. Seleccione la ficha **Hardware** y haga clic en el botón **Administrador de dispositivos** (véase la figura 5.15).

3. Haga doble clic sobre **Unidades de DVD/ CD-ROM** y, tras ello, haga doble clic sobre su unidad óptica (véase la figura 5.16).

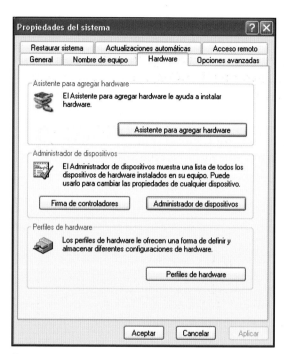

Figura 5.15.
Haga clic en el botón Administrador de dispositivos.

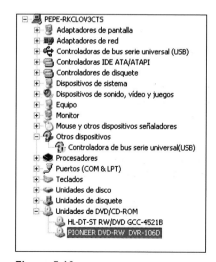

Figura 5.16.
Haga doble clic sobre la entrada correspondiente a su unidad óptica.

La unidad no graba a la velocidad máxima

A la hora de escribir en un CD o DVD, las unidades ópticas pueden resultar un tanto delicadas; existen diversos factores que impiden que una unidad grabe a la máxima velocidad.

1. Compruebe a qué velocidad puede crear un nuevo CD o DVD con su unidad óptica. La velocidad óptima suele depender del tipo de medio que utilice. En la tabla 5.2 encontrará más información al respecto.

2. Utilice discos fiables y de calidad. Si el fabricante recomienda una determinada marca, utilícela. Además, las unidades de DVD actuales no funcionan a la máxima velocidad a menos que se empleen discos adecuados. Por ejemplo, puede que no consiga grabar a 4X si utiliza DVD económicos únicamente indicados para velocidades de 1X ó 2X.

3. La actualización del firmware puede permitir que algunas unidades de DVD graben medios de 4X a velocidades de 8X. Consulte con el fabricante de su unidad para actualizar el firmware. Las unidades ópticas actuales, en especial las de DVD, son productos en constante evolución. Los fabricantes suelen permitir a los usuarios actualizar sus unidades mediante la instalación de nuevo firmware, un pequeño programa que se encuentra en el interior de la unidad y que controla sus funciones básicas. La actualización del firmware puede reparar problemas, aumentar el rendimiento e incluso añadir nuevas funciones. Visite la sección de asistencia del sitio Web del fabricante de su ordenador o unidad óptica, y compruebe si ofrece actualizaciones.

La instalación del firmware es muy sencilla; basta con descargar un archivo y ejecutarlo. No obstante, lea las instrucciones y sígalas al pie de la letra.

4. Habilite la memoria de acceso directo (DMA) de su unidad óptica. Encontrará más información al respecto en un apartado posterior.

Detener errores de desbordamiento del búfer

Las unidades ópticas necesitan un flujo ininterrumpido de datos para grabar un CD o DVD. Si por ejemplo desea grabar a 8X, el PC debe proporcionar los datos a esta velocidad. Si no puede, el flujo de datos se interrumpe y el proceso se detiene. En muchas unidades, esto significa tener que desechar el disco y comenzar de nuevo. A continuación le indicamos cómo evitar desbordamientos del búfer.

1. Utilice una velocidad de grabación menor. La mayoría de programas de grabación permite seleccionar la velocidad a la que grabar los medios. Al reducir la velocidad aumenta el tiempo necesario para grabar el disco, aunque suele ser suficiente para evitar desbordamientos del búfer.

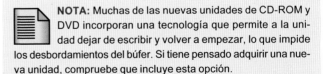 **NOTA:** Muchas de las nuevas unidades de CD-ROM y DVD incorporan una tecnología que permite a la unidad dejar de escribir y volver a empezar, lo que impide los desbordamientos del búfer. Si tiene pensado adquirir una nueva unidad, compruebe que incluye esta opción.

2. Elimine la carga del ordenador. Cierre los programas que no necesite y deje que el equipo se concentre en la tarea de grabación. Cierre todos los programas, incluidos los que se ejecutan de fondo, como antivirus y cortafuegos.

TRUCO: Cierre todos los programas que se inician de forma automática con Windows, como vimos en un capítulo anterior.

3. Habilite el acceso DMA de todas las unidades ópticas implicadas en el proceso de grabación. Encontrará más información al respecto en un apartado posterior.

4. Almacene la fuente de datos en el disco duro. Si desea copiar datos desde una unidad óptica a otra, intente copiar el disco original en el disco duro y, tras ello, grabar el CD a partir de la imagen en disco. Los discos duros pueden mover datos a mayor rapidez que las unidades ópticas.

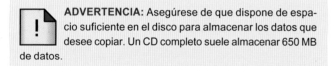 **ADVERTENCIA:** Asegúrese de que dispone de espacio suficiente en el disco para almacenar los datos que desee copiar. Un CD completo suele almacenar 650 MB de datos.

5. Cambie su canal IDE. La mayoría de PC tiene dos canales EIDE, uno principal y otro secundario; cada canal admite dos dispositivos con un mismo cable (ver figura 5.19). Dos unidades ópticas conectadas el mismo EIDE transfieren datos a menor velocidad que dos unidades en canales independientes. Abra la carcasa del ordenador y examine sus unidades ópticas. Si ambas unidades se encuentran en el mismo canal, lo que significa que están conectadas al mismo cable EIDE, pruebe a cambiar una de ellas al canal secundario, es decir, conectarla al otro cable EIDE.

6. Desfragmente el disco duro.

Figura 5.19.
Un cable EIDE admite dos dispositivos.

7. Pruebe con distintos medios de grabación. Algunas unidades funcionan mejor que otras con determinadas marcas de medios.

8. Pruebe a grabar con distintos programas. Algunas unidades no funcionan bien con determinados programas. No obstante, si el programa de grabación que utiliza venía incorporado con su unidad, tendría que funcionar correctamente.

Habilitar DMA en una unidad óptica

La memoria de acceso directo (DMA) es una autopista de datos dentro del ordenador y, por ello, acelera el flujo de datos entre unidades ópticas. La habilitación de DMA en una unidad óptica puede aumentar considerablemente el rendimiento de la misma.

1. Seleccione **Inicio**, haga clic con el botón derecho del ratón sobre **Mi PC**, seleccione **Propiedades** y pulse el botón **Administrador de dispositivos** de la ficha **Hardware** véase la figura 5.20).

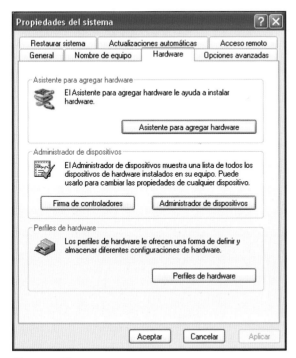

Figura 5.20.
Inicie el Administrador de dispositivos.

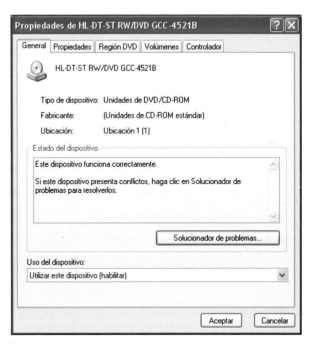

Figura 5.21.
Seleccione la ficha General.

2. En el **Administrador de dispositivos**, haga doble clic sobre **Unidades de DVD/CD-ROM** y, tras ello, haga doble clic sobre la entrada correspondiente a su unidad óptica (véase la figura 5.21).

3. En la ficha **General**, anote el número indicado junto a **Ubicación**. Será **1** ó **0**.

4. Tras ello, haga doble clic en la entrada **Controladoras IDE ATA/ATAPI** del **Administrador de dispositivos**. Seguidamente, pulse dos veces sobre el canal IDE al que esté conectada la unidad óptica, que puede ser el principal o el secundario, como se indica en la figura 5.22.

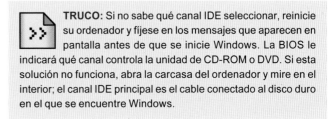

TRUCO: Si no sabe qué canal IDE seleccionar, reinicie su ordenador y fíjese en los mensajes que aparecen en pantalla antes de que se inicie Windows. La BIOS le indicará qué canal controla la unidad de CD-ROM o DVD. Si esta solución no funciona, abra la carcasa del ordenador y mire en el interior; el canal IDE principal es el cable conectado al disco duro en el que se encuentre Windows.

5. Seleccione la ficha **Configuración avanzada**. Si la ubicación anotada en el paso 3 es **0**, seleccione **DMA si está disponible** en el menú desplegable, bajo **Dispositivo 0**. Si el número de ubicación era **1**, haga lo mismo en el grupo **Dispositivo 1**, como se indica en la figura 5.23.

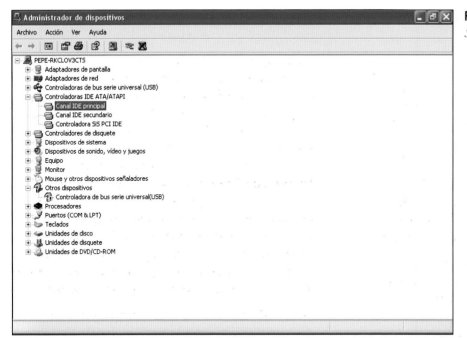

Figura 5.22.
Seleccione el canal IDE: principal o secundario.

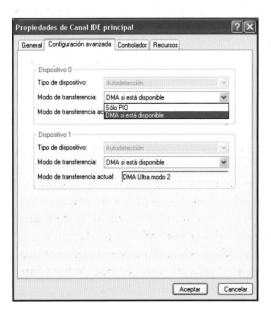

Figura 5.23.
Seleccione DMA si está disponible en el menú desplegable.

REPARAR DISCOS DUROS

Por lo general, los discos duros funcionan o no lo hacen; aparte de pequeñas molestias, no se dedica demasiado tiempo a manipularlos. Sin embargo, cuando un disco duro falla, le interesará recuperar sus datos lo antes posible.

El PC cree que el disco duro tiene un tamaño menor del real

Si ha instalado un disco duro con más de 137 GB pero Windows no reconoce más de 137 GB, puede que tenga que actualizar su hardware, su BIOS, su sistema operativo o posiblemente los tres. Compruebe con el fabricante de la placa base, no de la BIOS, si su versión admite discos duros de gran tamaño. En caso contrario, busque una actualización de la BIOS que añada esta compatibilidad.

1. En primer lugar, busque el número de versión de la BIOS, como indicamos en un capítulo anterior. Tras ello, compruebe con el fabricante de su PC si su BIOS actual admite discos duros de más de 137 GB. En caso contrario, puede existir una actualización de la BIOS que lo haga. Busque dicha actualización en el sitio Web del fabricante.

2. Puede que también tenga que actualizar Windows XP. Solamente Windows XP con el Service Pack 1 o posterior reconoce discos de 137 GB y mayores.

3. Aunque lleve a cabo estos dos procedimientos, es posible que su ordenador no reconozca discos duros de gran tamaño. Si su equipo tiene más de tres años de antigüedad, puede que no cuente con el hardware adecuado para ejecutar discos duros de gran tamaño. En este caso, puede evitar el problema de la BIOS si añade una tarjeta controladora ATA-6 a una de sus ranuras de expansión PCI y conecta el disco duro a la nueva tarjeta. El modelo Maxtor Accessory PCI Card UDMA 133 (www.maxtor.com) puede adquirirse por menos de 30 euros.

Recuperar datos de un disco duro dañado

En ocasiones, cuando un disco duro empieza a fallar, todavía disponemos de tiempo para recuperar nuestros datos. Siga los pasos descritos a continuación:

1. No ejecute **Desfragmentador de disco** ni ninguna otra utilidad de mantenimiento de discos. Estos programas pueden alterar o dañar sus datos, dificultando su posible recuperación.

2. No malgaste su tiempo. En cuanto sospeche que hay un problema con el disco duro, comience a copiar archivos importantes en una ubicación segura, por ejemplo un CD-ROM, disquete u otro disco duro. Si su disco duro tiene más de una partición, no copie los datos a la segunda, ya que es probable que también falle. Para los usuarios más avanzados, SpinRite de Gibson Research (www.grc.com) es un excelente programa de recuperación de datos que permite recuperar al menos parte, o sino toda la información almacenada en un disco duro defectuoso. Sus 90 euros pueden parecerle excesivos, pero es una ganga si lo comparamos con la solución alternativa: un servicio de recuperación de datos.

3. Si tiene datos que tenga que recuperar necesariamente de un disco duro fenecido, puede recurrir a un servicio de recuperación de datos como Ontrack Data Recovery Service (www.ontrack.com). Estos servicios pueden tardar semanas en ofrecer resultados y pueden costar cientos o miles de euros.

Desconectar discos duros externos correctamente

Si suele conectar y desconectar con frecuencia un disco duro interno con una conexión USB 2 o FireWire, compruebe que Windows está listo para anular la conexión. Si algún programa de software sigue activo en el disco duro y lo desconecta de repente, puede perder o dañar sus archivos de datos. A continuación le indicamos cómo desconectar un disco duro externo o cualquier otro dispositivo de hardware que utilice una conexión USB 2 o FireWire:

1. Haga doble clic en el icono **Quitar hardware con seguridad**, situado en la bandeja del sistema en la esquina inferior derecha de la pantalla (véase la figura 5.24).

2. Seleccione el disco o dispositivo que desee desconectar y haga clic en **Detener**, como se indica en la figura 5.25.

3. Windows mostrará un mensaje en la esquina inferior derecha de la pantalla en el que se confirma que puede retirar el hardware (véase la figura 5.26).

4. Apague el dispositivo y desconéctelo del ordenador.

Windows cambia continuamente las letras de las unidades

Al añadir o quitar discos duros, unidades ópticas u otros dispositivos de almacenamiento del PC, Windows puede ajustar automáticamente las letras de unidad asignadas a estas unidades o a las particiones de las mismas. Esto puede convertirse en un problema si cuenta con software que espera encontrar archivos almacenados en una determinada letra de unidad.

A continuación le indicamos cómo asignar una letra de unidad a una unidad o partición concreta de forma permanente:

Figura 5.25.
Seleccione el dispositivo que desee extraer y pulse Detener.

Figura 5.24.
Haga doble clic en el icono Quitar hardware con seguridad de la bandeja del sistema.

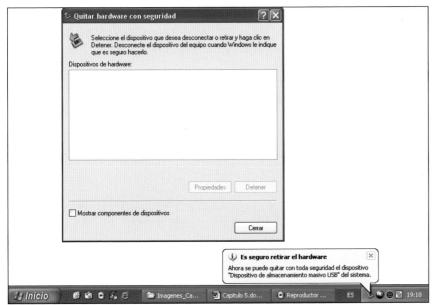

1. Seleccione **Inicio** y haga clic con el botón derecho del ratón sobre **Mi PC**, seleccione **Administrar** y,

bajo **Almacenamiento**, haga clic en **Administración de discos**.

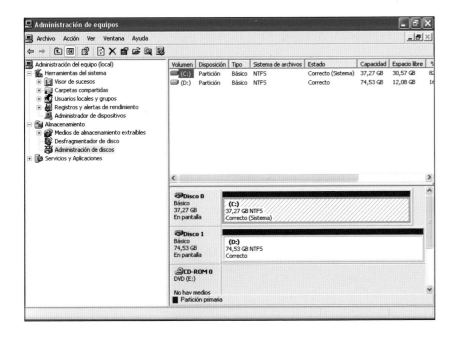

2. En el panel derecho, haga clic con el botón derecho del ratón sobre la unidad que desee modificar. Puede seleccionar la representación en forma de barra situada en la parte inferior del panel o la letra de unidad que aparece en la parte superior. Seleccione la opción Cambiar la letra y rutas de acceso de unidad....

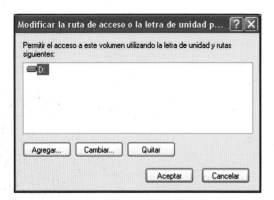

3. Haga clic en **Cambiar** y, tras ello, marque Asignar la letra de unidad siguiente. Seleccione la letra que desee asignar en el menú desplegable situado a la derecha y pulse **Aceptar**.

Solucionar problemas relacionados con gráficos, juegos y sonido

6

> Capítulo 6. **Solucionar problemas relacionados con gráficos, juegos y sonido**

En el mundo de los ordenadores, lo que vemos (o escuchamos) es lo que obtenemos. Y si lo que vemos son imágenes borrosas y oscilantes, o lo que escuchamos es silencio, lo que probablemente obtengamos sea un molesto dolor de cabeza. En este capítulo aprenderemos a conseguir que nuestros equipos se vean y se escuchen correctamente.

SOLUCIONAR PROBLEMAS DE IMAGEN

Para mejorar la imagen del monitor del ordenador es necesario modificar la tarjeta gráfica que compone la imagen digital y ajustar el monitor que muestra dicha imagen.

Cambiar la resolución de la pantalla

El número de píxeles que constituyen una imagen en la pantalla también se denomina resolución. Cuantos más píxeles formen la imagen, mayor será la resolución y mejor aspecto tendrá la imagen. El número de píxeles organizados vertical y horizontalmente en la pantalla mide la resolución de la misma. Los ordenadores más sencillos pueden mostrar una resolución de al menos 800 x 600 píxeles, y a menudo, 1024 x 768 o más; los sistemas más complejos pueden admitir resoluciones mayores. La resolución más indicada para sus necesidades depende del tamaño de la pantalla, de las prestaciones de su tarjeta gráfica y de sus preferencias personales.

1. Abra **Propiedades de Pantalla** por medio de los comandos **Inicio>Panel de control>Apariencia y temas>Pantalla** (véase la figura 6.1).

TRUCO: También puede abrir Propiedades de Pantalla si hace clic con el botón derecho del ratón sobre el escritorio de Windows y selecciona Propiedades en el menú contextual.

2. En la parte izquierda de la ficha **Configuración**, bajo **Resolución de pantalla**, desplace el regulador hasta el valor que desee, como se indica en la figura 6.2.

NOTA: Si el regulador no le permite seleccionar una configuración diferente, significa que es el único parámetro que su ordenador admite bajo la configuración actual. Puede conseguir una mayor resolución si reduce la profundidad de color o la frecuencia de actualización de la pantalla. Encontrará más información al respecto en un apartado posterior.

3. Pulse **Aceptar**. No se preocupe si la pantalla se oscurece durante unos segundos mientras Windows modifica la configuración.

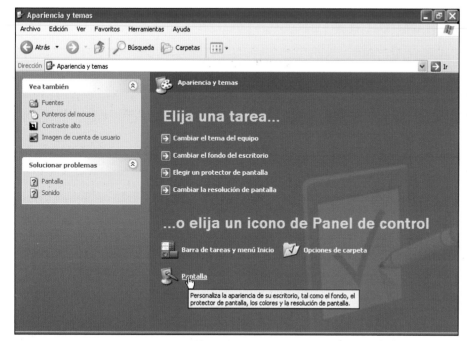

Figura 6.1.
Haga clic en Pantalla bajo Apariencia y temas en el Panel de control.

Figura 6.2.
Desplace el regulador para seleccionar una resolución de pantalla diferente.

Cambiar la profundidad de color

Al ensamblar una imagen, la tarjeta gráfica asigna un color a cada píxel que se va a mostrar. El número de colores entre los que el ordenador puede elegir se denomina profundidad de color. Evidentemente, cuantos más colores pueda elegir más real parecerá la imagen. Sin embargo, una mayor profundidad de color también puede ralentizar el rendimiento del equipo. Pruebe con diferentes valores hasta encontrar el más adecuado. En la tabla 6.1 se describen los distintos parámetros de profundidad de color.

Tabla 6.1.

Seleccione la profundidad de color más adecuada para su PC.

Modo	Descripción	Cuándo utilizarlo
Verdadero (32 bits)	La misma calidad de color que Verdadero (16 bits). Los ocho bits adicionales se utilizan para efectos especiales en juegos y gráficos avanzados.	La mejor opción para gráficos y juegos si su ordenador dispone de la velocidad suficiente.
Verdadero (16 bits)	La mejor calidad de color. Puede ralentizar determinados programas en algunos equipos.	La mejor opción para gráficos y juegos si su ordenador dispone de la velocidad suficiente.
Alta (16 bits)	Color de buena calidad. Añade una ligera carga al rendimiento del sistema.	Muy indicado para juegos y programas gráficos que necesitan toda la potencia de procesamiento del ordenador.
256 (8 bits)	Los colores presentan un aspecto tosco y poco real. Apenas supone una carga para el rendimiento del ordenador. Esta opción no se incluye en los ordenadores modernos.	Aceptable para aplicaciones no gráficas como procesadores de texto y para tareas basadas en Internet. No ofrece una buena calidad para fotografías y gráficos.

Para cambiar la configuración, siga estos pasos:

1. Abra **Propiedades de Pantalla** por medio de los comandos **Inicio>Panel de control>Apariencia y temas>Pantalla**.

2. Seleccione la profundidad de color deseada en el menú desplegable situado bajo **Calidad del color** en la ficha **Configuración** (véase la figura 6.3).

3. Pulse **Aceptar**. Windows restablecerá la profundidad de color y pedirá que confirme los cambios. Haga clic en **Sí** para finalizar el cambio.

Figura 6.3.

Seleccione la profundidad de color deseada del menú desplegable bajo Calidad del color.

NOTA: Si su ordenador sólo le ofrece una opción de profundidad de color, puede que consiga habilitar más opciones si reduce la frecuencia de actualización de la pantalla o la resolución, como veremos en un apartado posterior.

Cansancio visual: detener el parpadeo de la pantalla

Si tras utilizar su monitor CRT le duele la cabeza o tiene la vista cansada, puede que la frecuencia de actualización de su pantalla sea demasiado baja. Esta frecuencia es el número de veces por segundo que el ordenador vuelve a dibujar la imagen en la pantalla del monitor. Algunos usuarios son más sensibles que otros a los parpadeos de pantalla pero para la mayoría, una frecuencia de al menos 72 pantallas por segundo (72 Hz) basta para eliminar este molesto efecto.
Siga los pasos descritos a continuación para ajustar la frecuencia de actualización de la pantalla:

NOTA: La configuración de la frecuencia de actualización sólo es aplicable a los monitores CRT convencionales. Si utiliza un monitor LCD plano, mantenga el valor en 60 Hz a menos que el fabricante le indique lo contrario.

1. Abra **Propiedades de Pantalla** por medio de los comandos **Inicio>Panel de control>Apariencia y temas>Pantalla**. Seleccione la ficha **Configuración**.

2. En esta ficha, haga clic en el botón **Opciones avanzadas** y seleccione la ficha **Monitor** (véase la figura 6.4).

3. Seleccione una frecuencia de actualización en el menú desplegable **Frecuencia de actualización de la pantalla** y haga clic en **Aplicar** (véase la figura 6.5).

Figura 6.4.
Abra la ficha Monitor.

Figura 6.5.
Seleccione una frecuencia de actualización en el menú desplegable.

CONFIGURAR UNA PANTALLA PLANA

Si el aspecto de su pantalla plana o la pantalla LCD de su portátil es terrible, probablemente no la esté ejecutando con la resolución óptima. Las pantallas planas están diseñadas para que se ejecuten de forma óptima con una misma configuración, denominada configuración nativa. Una pantalla plana de 15 pulgadas de un portátil, por ejemplo, tiene una resolución nativa de 1024 x 768. Si se ejecuta el monitor a una resolución inferior o superior, el texto puede aparecer borroso o las imágenes pixeladas. Compruebe en el manual de usuario la configuración más adecuada para su monitor plano.

No obstante, aunque haya configurado su pantalla con la resolución nativa, el texto en muchas de estas pantallas planas aparece borroso. Para solucionarlo, habilite la representación ClearType de sus fuentes. En Windows XP, abra Propiedades de Pantalla por medio de los comandos Inicio>Panel de control>Apariencia y temas>Pantalla y seleccione la ficha Apariencia. Haga clic en el botón **Efectos**, marque la casilla de verificación Usar el siguiente método para suavizar los bordes de las fuentes de pantalla y seleccione ClearType en el menú desplegable.

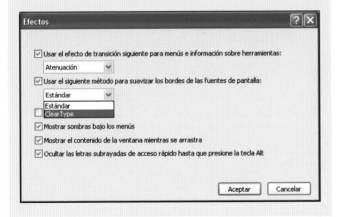

 TRUCO: Si su equipo no ofrece un valor de frecuencia de actualización de 72 Hz o superior, pruebe a reducir la resolución y la profundidad de color.

 ADVERTENCIA: No anule la selección de la opción Ocultar los modos que este monitor no puede mostrar. Si ejecuta su ordenador en un modo no compatible puede dañar el hardware.

Configurar el monitor

Puede ajustar la imagen de su monitor con ayuda de los controles situados en la parte frontal:

- **Configurar el brillo y el contraste:** Utilice un gráfico de escala de grises como el reproducido en la figura 6.6 para ajustar el brillo y el contraste, y poder distinguir el mayor número posible de tonos de gris. Estos controles suelen ser botones independientes situados en la parte frontal del monitor (véase la figura 6.7). En algunos monitores, todos los controles de la pantalla se configuran en un programa que se controla mediante dos o tres botones, a menudo marcados por flechas.

Figura 6.6.
Configure los parámetros de brillo y contraste de su monitor con ayuda de un gráfico de escala de grises.

 TRUCO: Resulta muy sencillo encontrar gráficos de escala de grises en la red; basta con buscarlos en cualquier motor de búsqueda.

- **Ajustar la geometría de la pantalla:** ¿La pantalla de su monitor muestra márgenes negros alrededor de los bordes? La mayoría de los monitores CRT cuentan con distintos controles para ajustar la posición y la forma de la imagen que aparece en pantalla. Utilícelos para que la imagen ocupe la mayor parte posible de la pantalla. Los monitores LCD planos no necesitan estos ajustes.

Figura 6.7.
Los controles de brillo y contraste suelen situarse en la parte frontal del monitor.

- **Desmagnetizar las pantallas CRT:** Si mantiene encendido su monitor durante largos periodos, puede que aprecie parches de color en los bordes de la pantalla. El botón para desmagnetizar del panel de control del monitor permite eliminar los campos magnéticos que provocan esta decoloración. Este botón, o la correspondiente entrada en el programa de control, suele estar marcado con una imagen de un imán en forma de U.

 TRUCO: Intente alejar aparatos electrónicos como microondas o televisores de su monitor, ya que pueden distorsionar la imagen que aparece en pantalla.

El ratón se mueve de forma extraña

Los problemas relacionados con el ratón y dispositivos similares suelen tener fácil solución. La primera parada debe ser la pantalla **Propiedades de Mouse**, que cuenta con multitud de controles y ajustes que pueden corregir el problema (véase la figura 6.8). Seleccione **Inicio>Panel de control>Impresoras y demás hardware>Mouse**. Los parámetros son fáciles de entender.

Figura 6.8.
En la pantalla Propiedades de Mouse puede corregir numerosos problemas.

Si su ratón se desplaza a tirones al moverlo horizontal o verticalmente, tendrá que limpiarlo. Siga las instrucciones de limpieza proporcionadas en un capítulo anterior. Otros problemas del ratón pueden deberse a conflictos con el hardware gráfico del ordenador.

Windows XP le permite deshabilitar temporalmente la aceleración de hardware del ordenador para solucionar problemas del ratón y relacionados con los gráficos.

1. Abra **Propiedades de Pantalla** por medio de los comandos **Inicio>Panel de control>Apariencia y temas>Pantalla.**

2. Seleccione la ficha **Configuración,** haga clic en el botón **Opciones avanzadas** y seleccione la ficha **Solucionador de problemas.**

3. Desplace el regulador **Aceleración de hardware** hacia la izquierda (véase la figura 6.9). Si el ratón se comporta normalmente, se debe a un problema con el hardware gráfico del ordenador. Pruebe a actualizar el controlador del ratón y los controladores gráficos, o mantenga deshabilitada temporalmente la aceleración de hardware gráfico.

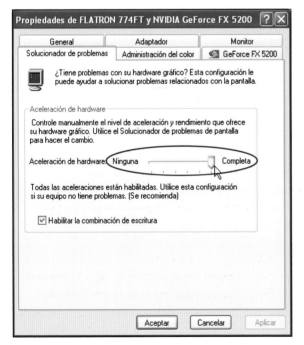

Figura 6.9.

Seleccione la ficha Solucionador de problemas y ajuste el regulador Aceleración de hardware.

Actualizar el controlador gráfico

La actualización del controlador gráfico es una de las medidas más eficaces para mejorar el aspecto y el rendimiento de la pantalla del ordenador. Los fabricantes de tarjetas gráficas publican actualizaciones constantes para solucionar errores y mejorar el rendimiento de sus productos. Visite el sitio Web del fabricante de su ordenador o de su tarjeta gráfica en busca de actualizaciones. Siga los pasos descritos a continuación:

1. Abra **Propiedades de Pantalla.** Seleccione **Inicio>Panel de control>Apariencia y temas> Pantalla.** Seleccione la ficha **Configuración** y haga clic en el botón **Opciones avanzadas.**

2. Abra la ficha **Adaptador** y haga clic en el botón **Propiedades** (véase la figura 6.10).

3. Abra la ficha **Controlador**, anote el número de versión del controlador actual y compruebe si en el sitio Web del fabricante se ofrece alguna versión actualizada (véase la figura 6.11).

4. Para instalar una actualización, haga clic en el botón **Actualizar controlador** para iniciar el **Asistente para actualización de hardware** de Windows, que le guiará por el proceso de instalación del controlador.

Figura 6.10.
Abra la ficha Adaptador y haga clic en el botón Propiedades.

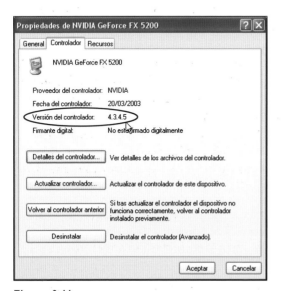

Figura 6.11.
Abra la ficha Controlador y anote el número de versión del controlador gráfico instalado.

NOTA: Algunos controladores gráficos no necesitan una instalación manual, ya que incorporan sus propios programas de instalación. Basta con descargar el archivo, descomprimirlo en caso de que sea necesario y luego ejecutar el programa de instalación.

5. En la pantalla de bienvenida del asistente, seleccione **Instalar desde una lista o ubicación específica (avanzado)**, como se indica en la figura 6.12.

Figura 6.12.
Inicie el Asistente para actualización de hardware.

6. Windows solicitará una ubicación específica en la que buscar los archivos del controlador (véase la figura 6.13). Si los nuevos archivos se encuentran en un CD o un disquete, como sucede en las nuevas tarjetas gráficas, marque la casilla **Buscar en medios extraíbles**. Si ha descargado los archivos a una carpeta del disco duro, marque la opción **Incluir esta ubicación en la búsqueda** y utilice

el botón **Examinar** para seleccionar la carpeta correcta (véase la figura 6.14).

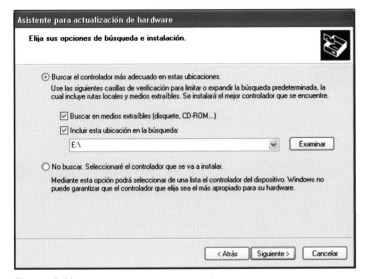

Figura 6.13.
Indique a Windows dónde buscar el archivo.

Figura 6.14.
Utilice el botón Examinar para seleccionar la carpeta en la que haya guardado el controlador descargado.

7. Haga clic en **Siguiente** para que el asistente le guíe por el proceso de selección.

> **TRUCO:** Si no consigue solucionar el problema con el nuevo controlador o si éste produce nuevos problemas, puede desinstalarlo fácilmente: en la ficha Controlador de las propiedades del adaptador, haga clic en el botón **Volver al controlador anterior** y siga las instrucciones que aparecen en pantalla (véase la figura 6.11).

Saber si el monitor es el correcto

Al enchufar un monitor por primera vez, Windows busca el controlador correspondiente para el mismo. Si no puede encontrar un controlador específico para dicho monitor, carga un controlador genérico que, en la mayoría de los casos, tiene un funcionamiento correcto. No obstante, si desea precisar el rendimiento de su monitor, puede que el controlador genérico no le permita aprovechar todas las ventajas que ofrece.

1. Seleccione **Inicio>Panel de control>Apariencia y temas>Pantalla** y seleccione la ficha **Configuración**. Si bajo **Mostrar** aparece la entrada **Monitor Plug and Play** o el nombre de un monitor distinto al suyo (véase la figura 6.15), desplácese hasta el sitio Web del fabricante de su ordenador o de su monitor, y descargue el controlador adecuado para su monitor.

Pantalla:
Plug and Play Monitor en NVIDIA GeForce4 MX 440 with AGP8X (Dell)

Figura 6.15.
Busque el nombre de su monitor debajo de la entrada Mostrar.

2. Si el controlador del fabricante incorpora instrucciones de instalación concretas, sígalas. En caso contrario, para instalarlo, haga clic en el botón **Opciones avanzadas** de la ficha Configuración.

3. Seleccione la ficha Monitor y pulse **Propiedades** (véase la figura 6.16).

4. Seleccione la ficha Controlador.

5. Haga clic en el botón **Actualizar controlador** y siga el procedimiento descrito en el apartado anterior (véase la figura 6.17).

Figura 6.17.

El botón Actualizar controlador le permite iniciar el proceso de instalación de controladores.

Figura 6.16.

Seleccione la ficha Monitor y haga clic en Propiedades.

SELECCIONAR LA MEJOR FRECUENCIA DE ACTUALIZACIÓN, RESOLUCIÓN Y PROFUNDIDAD DE COLOR

En un mundo perfecto, configuraríamos nuestro ordenador a la mayor frecuencia de actualización, mayor resolución y mayor profundidad de color posibles. Pero en el mundo real, muchos equipos no cuentan con la potencia necesaria para ello. En estos sistemas es necesario seleccionar el tipo de configuración más adecuada y comprometer al resto. Windows XP facilita la experimentación con distintas posibilidades:

1. En primer lugar, asegúrese de que utiliza el controlador adecuado para su monitor, como comentamos en el apartado anterior. Si se trata de un controlador genérico, puede que no pueda establecer la frecuencia de actualización de la pantalla por encima de los 60 Hz.

2. Abra Propiedades de Pantalla, por medio de los comandos Inicio>Panel de control>Apariencia y temas>Pantalla.

3. En la ficha Configuración, haga clic en el botón **Opciones avanzadas** y seleccione la ficha Adaptador.

4. Haga clic en **Lista de todos los modos** para acceder a una lista de las principales combinaciones de frecuencia de actualización, resolución y profundidad de color admitidas por su ordenador.

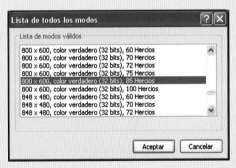

5. Haga doble clic en el modo que desee probar, pulse **Aceptar** y, tras ello, **Aplicar**. Windows volverá a configurar los parámetros.

6. Pulse **Sí,** si desea conservar la nueva configuración o **No,** para recuperar la configuración anterior.

SOLUCIONAR PROBLEMAS RELACIONADOS CON JUEGOS

Muchos de los vertiginosos juegos actuales llevan a nuestro ordenador al límite de su rendimiento, por lo que no debe sorprenderle que estos programas sean los responsables de numerosos problemas. A continuación le ofrecemos distintas soluciones a los problemas más habituales relacionados con los juegos.

Actualizar DirectX

DirectX es el componente de Windows XP encargado de obtener el máximo rendimiento gráfico del hardware de nuestro equipo. Consigue que los juegos y otros elementos multimedia tengan el mejor aspecto, sonido y movimientos posibles. Los juegos más modernos se crean para que aprovechen las ventajas de la última versión de DirectX, por lo que los equipos que utilicen versiones desfasadas son proclives a sufrir problemas. A continuación le indicamos cómo obtener la versión más actualizada:

1. Determine qué versión de DirectX está utilizando en su ordenador. Para ello, abra la **Herramienta de diagnóstico de DirectX**. Seleccione **Inicio> Ejecutar** e introduzca **dxdiag** en el campo **Abrir** (véase la figura 6.18).

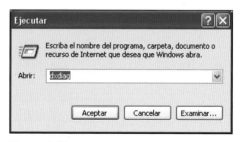

Figura 6.18.
Introduzca dxdiag para iniciar Herramienta de diagnóstico de DirectX.

2. En la parte inferior de la ficha **Sistema** encontrará el número de versión de DirectX que se ejecuta actualmente en su ordenador (véase la figura 6.19).

Al cierre de esta edición, la última versión de DirectX era la 9.

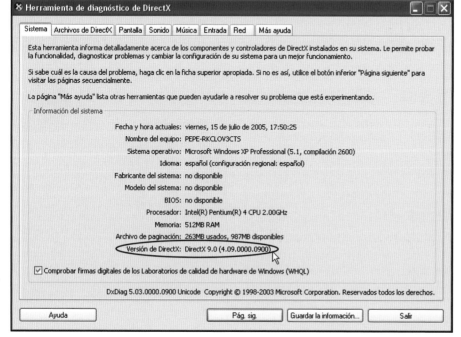

Figura 6.19.
Anote la versión de DirectX utilizada en su ordenador.

3. Si necesita una actualización, puede descargar los nuevos archivos DirectX del sitio Web de Microsoft (`www.microsoft.com/windows/ directx`) o de otros sitios Web diferentes, como se indica en la figura 6.20.

4. La instalación es muy sencilla. Cuando Windows pregunte ¿Desea abrir el archivo o guardarlo en su equipo? puede seleccionar **Abrir** para iniciar la instalación cuando termine la descarga o **Guardar**, para guardarla en una carpeta de su disco duro e instalarla más adelante (véase la figura 6.21).

Figura 6.21.

Al seleccionar Abrir se instala DirectX inmediatamente después de que termine la descarga.

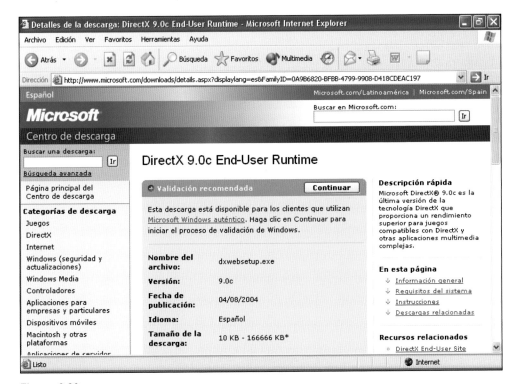

Figura 6.20.

Descargue la última versión de DirectX del sitio Web de Microsoft.

> **ADVERTENCIA:** Una vez instalado, DirectX no se puede desinstalar. Para evitar problemas, Microsoft recomienda crear un punto de restauración antes de instalar DirectX 9. En un capítulo anterior encontrará más información al respecto.

Hacer funcionar un juego antiguo en Windows XP

Si tiene un juego antiguo que no funciona correctamente en Windows XP, pruebe a utilizar el **Asistente para compatibilidad de programas**. Permite imitar versiones antiguas de Windows para que el software escrito para las mismas se pueda ejecutar en Windows XP.

1. Seleccione **Inicio>Todos los programas> Accesorios** e inicie el **Asistente para compatibilidad de programas**. En la pantalla de bienvenida, haga clic en **Siguiente** (véase la figura 6.22).

2. Si el juego ya está instalado en Windows XP, seleccione **Deseo elegir un programa de la lista**. Si no puede instalarlo, introduzca el CD del juego en su unidad óptica y seleccione **Deseo utilizar el programa que se encuentra en la unidad de CD-ROM**, como se indica en la figura 6.23.

3. Windows XP le preguntará qué sistema operativo desea utilizar y le guiará por el proceso de configuración. Tras ello, Windows XP utilizará esta configuración cada vez que ejecute el mismo programa (véase la figura 6.24).

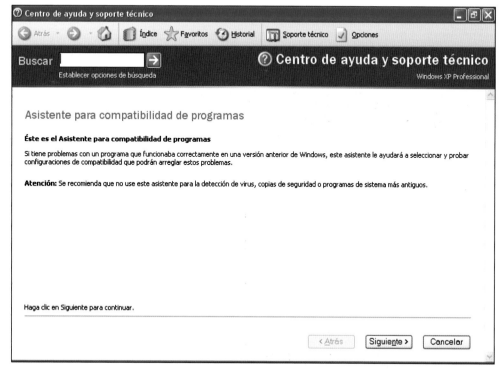

Figura 6.22.

Puede emular versiones anteriores de Windows por medio del Asistente para compatibilidad de programas.

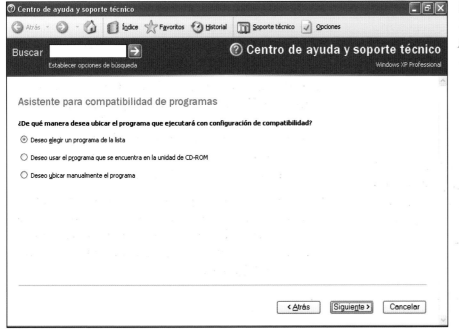

Figura 6.23.
Indique a Windows XP dónde buscar el programa.

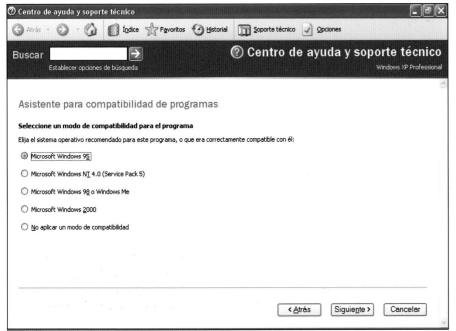

Figura 6.24.
Indique a Windows qué sistema operativo emular.

Acelerar juegos lentos

Si su PC se comporta de forma lenta al reproducir juegos, puede aplicar los siguientes consejos para aumentar la velocidad:

- **Alimentar al hardware:** La instalación de RAM adicional para su ordenador es sencilla, bastante económica y puede mejorar considerablemente el rendimiento del PC, sobre todo para juegos muy exigentes. Una actualización mucho más eficaz, y mucho menos económica, es la adquisición de una nueva tarjeta gráfica. Un modelo con un procesador más rápido y con más memoria le costará entre 200 y 300 euros, pero es un elemento imprescindible para el jugador profesional.

- **Apagar software innecesario:** Cierre todos los programas que no necesite; únicamente consumen potencia del procesador que podría utilizarse para jugar. Realice un inicio limpio (como comentamos en un capítulo anterior) y cierre todos los programas que se ejecuten de fondo, como antivirus o procesos programados.

- **Controlar la CPU:** El Administrador de tareas de Windows permite controlar el uso de su CPU para ver qué programas imponen la mayor carga al sistema. Pulse las teclas **Control-Alt-Supr** y seleccione la ficha Rendimiento (véase la figura 6.25). Cuando la CPU recibe un mayor número de demandas, el gráfico de la sección Historial de uso de CPU aumenta los picos. También debe fijarse en las estadísticas de las secciones de memoria física disponible e historial de uso de archivo de página. Si la memoria disponible se reduce en exceso, el ordenador tiene que almacenar datos en

el archivo de página, un archivo del disco duro, lo que añade una mayor carga a la CPU.

Figura 6.25.
Controle el uso de su CPU con ayuda del Administrador de tareas de Windows.

- **Reducir la profundidad de color o la resolución de la pantalla:** Algunos juegos se ejecutan mejor con determinadas profundidades de color o resoluciones de pantalla. Además, al reducir estos parámetros, se reduce la demanda de procesamiento de la CPU y del hardware gráfico.

- **Actualizar el controlador de su tarjeta gráfica:** Consulte las instrucciones proporcionadas en un apartado anterior.

- **Actualizar DirectX:** Consulte las instrucciones proporcionadas en un apartado anterior.

SOLUCIONAR PROBLEMAS RELACIONADOS CON EL SONIDO

¿Su PC suena como si tuviera un resfriado? ¿Se ha quedado completamente mudo? Los problemas de sonido son habituales en muchos ordenadores. Afortunadamente, muchos se pueden detectar y solucionar con cierta paciencia.

El ordenador está mudo

1. Revise todos los cables de alimentación y conexiones. Compruebe que los altavoces están encendidos.

2. Compruebe que los altavoces están conectados a los puertos correctos de la tarjeta de sonido.

3. Enchufe unos auriculares en la entrada de la parte trasera del ordenador. Si escucha algún sonido, el problema está en los altavoces o en sus cables.

4. Compruebe los controles de volumen de los altavoces y el subwoofer.

5. Revise los controles de volumen de Windows. Haga doble clic en el icono en forma de altavoz situado en la bandeja del sistema. Compruebe que no hay casillas **Silenciar** marcadas y que todos los reguladores de volumen están correctamente ajustados (véase la figura 6.26). Si sólo recibe sonido por un altavoz, compruebe los reguladores **Balance** situados por encima de los de volumen.

6. Compruebe los parámetros de volumen de sus aplicaciones. La mayoría de programas de sonido utiliza sus propios controles de volumen que pueden anular los de Windows (véase la figura 6.27).

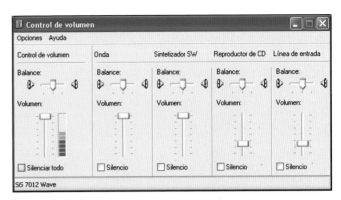

Figura 6.26.
Compruebe las casillas Silenciar y los reguladores Volumen en el control de volumen de Windows.

Figura 6.27.
Compruebe los controles de volumen de aplicaciones de software como RealPlayer.

7. Compruebe que Windows está configurado para los altavoces adecuados. Seleccione Inicio>Panel de control>Dispositivos de sonido, audio y voz, seleccione Dispositivos de sonido y audio, y haga clic en la ficha Volumen.

8. Bajo Configuración del altavoz, haga clic en el botón **Propiedades avanzadas**, seleccione la ficha Altavoces y seleccione el tipo adecuado de altavoces en el menú desplegable Configuración del altavoz. Haga clic en **Aplicar** y, tras ello, pulse **Aceptar** (véase la figura 6.28).

Figura 6.28.

Compruebe si ha configurado Windows correctamente para que utilice sus altavoces.

EL SONIDO DEL ORDENADOR ES TERRIBLE

Si el sonido que emite su equipo sufre ruidos, chasquidos o saltos, siga los pasos descritos a continuación:

1. Compruebe que los altavoces están conectados al puerto adecuado, como veremos en un apartado posterior.

2. Aleje los cables de los altavoces de otros aparatos o dispositivos eléctricos que puedan provocar interferencias. También el monitor.

3. Si desea reproducir un CD de audio y utiliza altavoces USB, habilite el audio digital en su unidad óptica, como comentamos en un capítulo anterior.

4. Actualice DirectX, ya comentado en un apartado anterior.

5. Actualice los controladores de su tarjeta de sonido.

Utilizar el solucionador de problemas de sonido de Windows XP

El Solucionador de problemas de sonido sólo permite corregir problemas básicos, pero siempre conviene probarlo.

1. Seleccione Inicio>Ayuda y soporte técnico. En el cuadro Buscar, introduzca **solucionador de problemas**, como se indica en la figura 6.29.

2. Seleccione Solucionador de problemas de sonido en la lista del panel izquierdo (véase la figura 6.30).

3. Seleccione el problema que desee corregir y haga clic en **Siguiente**. El solucionador de problemas le guiará por el proceso de reparación (véase la figura 6.31).

Actualizar sus controladores de sonido

Al igual que sucede con la tarjeta gráfica, la actualización de los controladores del hardware de sonido puede corregir problemas y añadir nuevas funciones al ordenador.

1. Abra el Administrador de dispositivos. Para ello, seleccione Inicio, haga con el botón derecho del ratón sobre Mi PC, seleccione Propiedades, la ficha Hardware y haga clic en el botón **Administrador de dispositivos**.

2. En el apartado Dispositivos de sonido, vídeo y juegos, haga doble clic en la entrada correspondiente a su tarjeta de sonido (véase la figura 6.32).

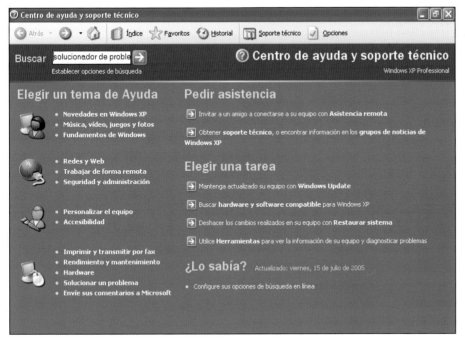

Figura 6.29.
Introduzca "solucionador de problemas" en el cuadro Buscar.

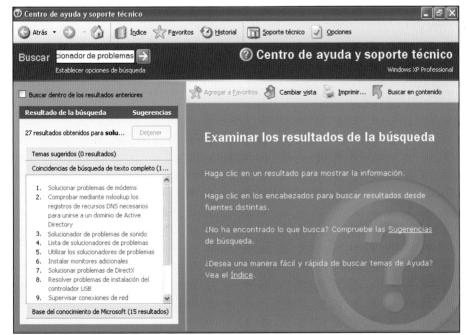

Figura 6.30.
Seleccione Solucionador de problemas de sonido en la lista.

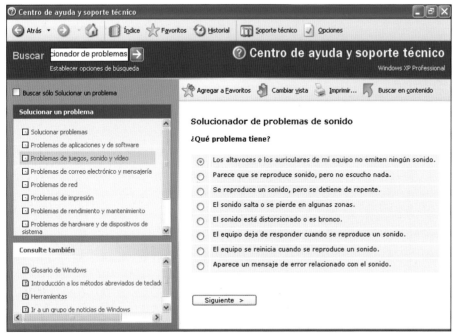

Figura 6.31.
Seleccione un problema y pulse Siguiente.

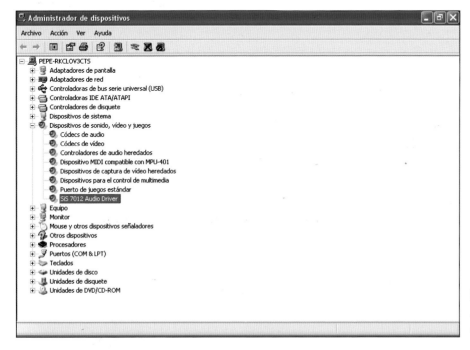

Figura 6.32.
Haga doble clic en la entrada correspondiente a su tarjeta de sonido.

3. Seleccione la ficha **Controlador** y anote el número de versión, como se indica en la figura 6.33.

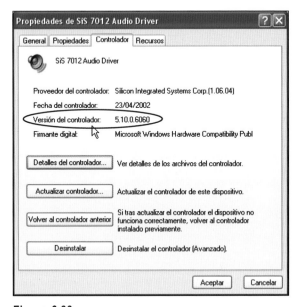

Figura 6.33.
Anote el número de versión del controlador instalado en la ficha Controlador antes de buscar actualizaciones.

4. Busque un controlador actualizado en el sitio Web del fabricante.

5. Para instalar la actualización, haga clic en el botón **Actualizar controlador** para iniciar el **Asistente para actualización de hardware**. El asistente le guiará por el proceso de instalación.

6. En la pantalla de bienvenida, seleccione la opción **Instalar desde una lista o ubicación específica (avanzado)**.

7. Windows solicitará la ubicación concreta en la que buscar los archivos del controlador. Si los nuevos archivos se encuentran en un CD o un disquete, marque la casilla **Buscar en medios extraíbles**.

Si ha descargado los archivos a una carpeta del disco duro, marque la opción **Incluir esta ubicación en la búsqueda** y utilice el botón **Examinar** para seleccionar la carpeta correcta.

8. Haga clic en **Siguiente**. El asistente le guiará por el proceso de instalación.

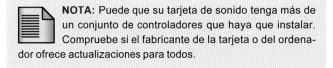

NOTA: Puede que su tarjeta de sonido tenga más de un conjunto de controladores que haya que instalar. Compruebe si el fabricante de la tarjeta o del ordenador ofrece actualizaciones para todos.

Localizar la entrada de audio correcta

Si su ordenador no emite sonido alguno, compruebe que los altavoces están conectados a la entrada correcta en la parte trasera del PC. Independientemente de que el ordenador tenga una tarjeta de sonido o el sonido esté incorporado en la placa base, seguramente tenga cinco puertos o entradas para enviar y recibir señales de audio (véase la figura 6.34). Las entradas suelen tener distintos colores y una serie de símbolos difíciles de detectar.

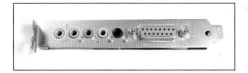

Figura 6.34.
Conecte sus altavoces a la entrada de audio correcta.

NOTA: Los ordenadores equipados con sofisticadas tarjetas de sonido pueden tener diferentes entradas de audio especializadas.

A continuación enumeramos los distintos puertos de audio que encontrará en la mayoría de ordenadores:

- **Línea de salida principal:** Suele tener un color verde claro. Es donde se conectan los altavoces.

- **Línea de salida secundaria:** Negra o de otro color. Este puerto se utiliza para conectar un segundo conjunto de altavoces.

- **Micrófono:** Normalmente de color rosa.

- **Línea de entrada:** Suele ser de color azul claro. Utilice este puerto para enviar señales de audio a su ordenador y grabarlas digitalmente con la tarjeta de sonido.

- **MIDI/Juegos:** De color dorado. Le permite conectar un joystick u otro controlador de juego, o un dispositivo musical MIDI.

DESACTIVAR LA ACELERACIÓN DE HARDWARE DE AUDIO

La desactivación de algunas de las funciones de procesamiento de sonido más sofisticadas de Windows puede resolver distintos problemas de sonido:

1. Seleccione Inicio>Panel de control>Dispositivos de sonido, audio y voz.

2. En la ficha Volumen, haga clic en el botón **Propiedades avanzadas** del grupo Configuración del altavoz, no el del grupo Volumen del dispositivo. Tras ello, haga clic en la ficha Rendimiento.

3. Desplace el regulador Aceleración de hardware hacia la izquierda. Si no consigue solucionar sus problemas de sonido, siga moviendo el regulador hasta que el problema desaparezca.

> Capítulo 7

Corregir problemas de Internet

7

> Capítulo 7. **Corregir problemas de Internet**

Internet se ha convertido en una herramienta indispensable para nuestras vidas, como los coches o los teléfonos. Y cuando no podemos conectarnos a la red no sólo resulta desesperante, sino que también podemos perder tiempo y dinero. Si su conexión a Internet no funciona, pruebe con las soluciones que le ofrecemos a continuación. Se trata de problemas habituales que, en la mayoría de los casos, resultan fáciles de reparar. Pero si no le sirven, no pierda tiempo y póngase en contacto con su ISP o un servicio de asistencia técnica profesional.

PROBLEMAS DE CONEXIONES TELEFÓNICAS POR MÓDEM

Los problemas de las conexiones telefónicas por módem pueden volvernos locos, ya que el origen de los mismos no siempre es evidente. Puede tratarse del módem, de un parámetro de Windows XP, de interferencias con la línea telefónica o de cualquier otro factor desconocido. Por ello recomendamos que sea metódico, que compruebe todos los elementos de la cadena de conexión y que no se sorprenda si el problema no tiene nada que ver con su ordenador.

 TRUCO: Si el módem no emite sonido alguno, compruebe los parámetros de volumen del módem, como veremos más adelante.

SILENCIAR EL MÓDEM

Pocas cosas resultan tan molestas como el chirriante sonido de dos módem intentando conectarse. Afortunadamente existe una forma sencilla de silenciar un módem.

1. Seleccione Inicio>Panel de control>Impresoras y otro hardware>Opciones de teléfono y módem y haga clic en la ficha Módems.

2. Seleccione su módem en la lista y haga clic en el botón **Propiedades**.

3. Seleccione la ficha Módem y ajuste el regulador Volumen de altavoz.

Comprobar la línea telefónica

1. Compruebe si recibe tono de llamada. Conecte el módem a un teléfono y escuche para confirmar el tono de llamada correcto y si el módem consigue marcar o no.

2. Revise todas las conexiones y si la línea telefónica está conectada a la entrada correcta del módem. Si utiliza un módem externo, compruebe que las conexiones del módem y del PC están bien sujetas.

3. Si escucha un tono de llamada intermitente, probablemente sea el problema de la conexión. Seleccione **Inicio>Panel de control>Impresoras y otro hardware>Opciones de teléfono y módem** y seleccione la ficha **Módems**. Seleccione su módem, haga clic en el botón **Propiedades** y seleccione la ficha **Módem**. Anule la selección de la opción **Esperar el tono de marcado antes de marcar**.

Comprobar la instalación del módem

Compruebe que su módem esté bien instalado y que se puede comunicar con Windows.

1. Abra el **Administrador de dispositivos**. Seleccione **Inicio**, haga clic con el botón derecho del ratón sobre **Mi PC**, seleccione **Propiedades** y la ficha **Hardware**. Haga clic en el botón **Administrador de dispositivos** (véase la figura 7.1).

2. Haga doble clic sobre la entrada **Módems** y doble clic sobre la entrada correspondiente a su módem, como se indica en la figura 7.2.

3. Si ve un círculo amarillo o una X de color rojo junto a la entrada de su módem, busque mensajes de error en la sección **Estado del dispositivo** en

la ficha **General** (véase la figura 7.3). Si indica que el módem y otro dispositivo comparten el mismo IRQ, intente cambiar el puerto COM de su módem, como veremos en un apartado posterior.

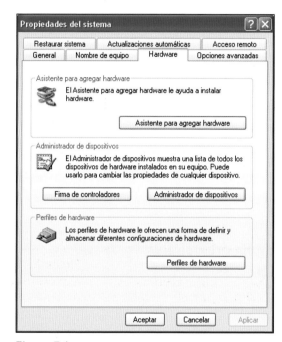

Figura 7.1.
Abra el Administrador de dispositivos.

4. Tras ello, compruebe si el módem se puede comunicar con Windows XP. Para ello, seleccione **Inicio>Panel de control>Impresoras y otro hardware>Opciones de teléfono y módem**, seleccione la ficha **Módems** y haga doble clic sobre su módem.

5. Seleccione la ficha **Diagnóstico** y haga clic en el botón **Consultar módem** (véase la figura 7.4).

6. Espere a que Windows se intente comunicar con su módem (véase la figura 7.5).

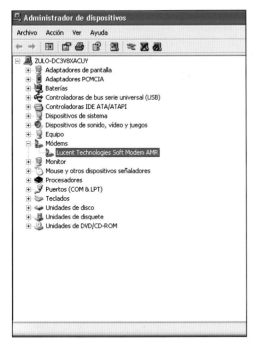

Figura 7.2.

*Haga doble clic sobre la entrada correspondiente
a su módem para abrir su pantalla de propiedades.*

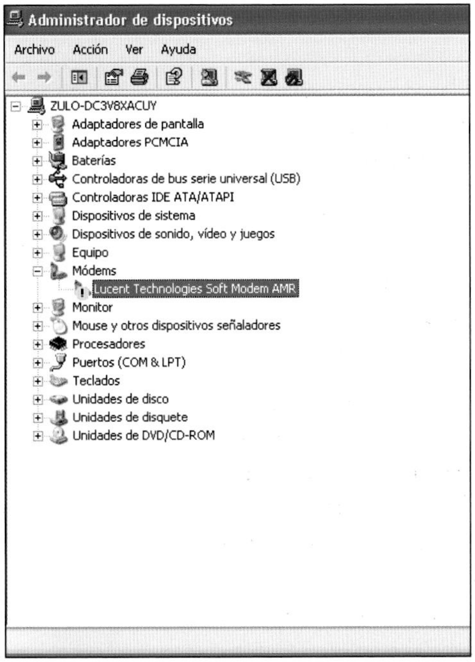

Figura 7.3.

*Un círculo amarillo junto al nombre de su módem
indica un conflicto de recursos.*

Figura 7.4.

Haga clic en el botón Consultar módem.

Figura 7.5.

*Espere a que Windows XP
pruebe el módem.*

7. Si Windows XP y su módem se comunican correctamente, verá una lista de comandos y respuestas en la parte inferior de la ventana de propiedades, por encima del botón **Consultar módem**, como se indica en la figura 7.6. Si no ve ninguna respuesta, puede que el controlador del módem esté dañado o sea incorrecto. Encontrará más información al respecto en un apartado posterior.

Figura 7.6.
Una lista de respuestas significa que Windows y su módem se comunican correctamente.

Comprobar la conexión

Si su módem emite un sonido de llamada correcto pero no consigue conectarse, puede que se deba a un problema de configuración, de la línea telefónica o de su ISP.

1. En primer lugar, compruebe que está marcando el número correcto y que el módem del ISP responde a la llamada.

 TRUCO: Intente marcar el número de acceso de su ISP en su teléfono y escuche la respuesta del módem del ISP.

2. Intente conectarse al ISP con un número de acceso telefónico diferente. En caso de que no lo tenga, póngase en contacto con el servicio de asistencia técnica de su ISP. Si existe algún problema con la línea telefónica local del ISP, intente marcar un número de acceso con otro prefijo. Si no es una llamada local, puede que le cobren una tarifa diferente pero merece la pena si sólo tiene que revisar su correo o comprobar algo en la red muy rápidamente.

PUERTOS COM E IRQ

Al igual que otros dispositivos que transfieren datos en el ordenador, el módem de marcado telefónico utiliza uno de los 16 canales de comunicación dedicados denominado IRQ (Petición de interrupción). Estas líneas de comunicación alertan a la CPU del ordenador de que el módem tiene datos que procesar. En versiones antiguas de Windows, se podían asignar por accidente dos dispositivos a la misma línea IRQ, lo que provocaba todo tipo de problemas incluyendo el colapso del equipo. Afortunadamente, estos problemas por compartir recursos son poco habituales en Windows XP.

Un puerto COM determina la combinación de un determinado IRQ y una dirección E/S, otro recurso informático asignado por Windows XP, para los módem y otros dispositivos conectados al ordenador a través de un puerto serie. Si por ejemplo el módem se ha asignado a COM1, utiliza IRQ 4 y la dirección E/S 3F8. El parámetro COM 2 utiliza IRQ 3 y la dirección E/S 2F8. Al cambiar el módem de COM 1 a COM 2 también cambia el IRQ de 4 a 3 y se pueden eliminar los conflictos con otros dispositivos.

3. Tras ello, intente reducir la velocidad máxima de conexión de su módem. Abra la pantalla de propiedades del módem.

4. Seleccione la ficha **Módem**.

5. En el menú desplegable **Velocidad máxima del puerto**, seleccione la siguiente velocidad inferior (véase la figura 7.7). Si de esta forma puede conectarse, puede que su módem no sea compatible con la tecnología de su ISP. Póngase en contacto con el servicio de asistencia técnica.

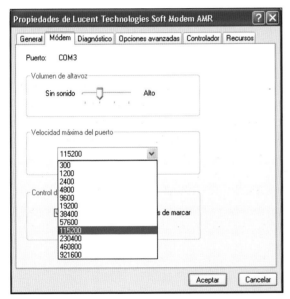

Figura 7.7.
Reduzca la velocidad de conexión máxima.

6. Tras ello, intente volver a introducir su nombre de usuario y contraseña en la pantalla de conexión. Desplácese hasta **Conexiones de red** y haga doble clic sobre su conexión de marcado telefónico (véase la figura 7.8).

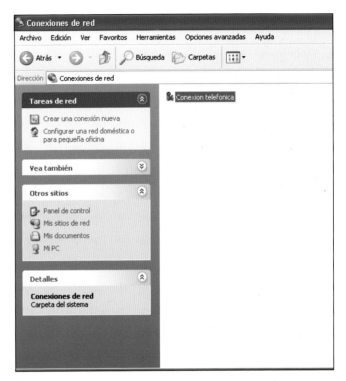

Figura 7.8.
Haga doble clic sobre su conexión para abrir la pantalla de conexión.

 TRUCO: Asegúrese bien de que la tecla **Bloq Mayús** no está pulsada. Las contraseñas suelen distinguir entre mayúsculas y minúsculas.

7. Si no funciona, tendrá que crear una nueva conexión telefónica. Seleccione **Inicio>Panel de control>Conexiones de red e Internet** y seleccione **Crear una conexión a la red de su trabajo**.

8. Seleccione **Conexión de acceso telefónico** y haga clic en **Siguiente** (véase la figura 7.9).

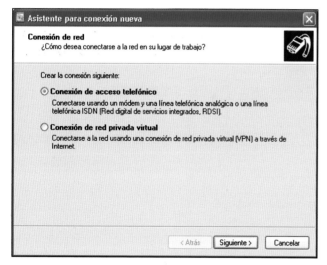

Figura 7.9.
Seleccione conexión de acceso telefónico.

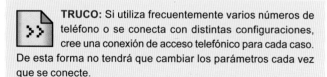

TRUCO: Si utiliza frecuentemente varios números de teléfono o se conecta con distintas configuraciones, cree una conexión de acceso telefónico para cada caso. De esta forma no tendrá que cambiar los parámetros cada vez que se conecte.

9. Cree un nombre para esta cuenta (el de su ISP u otro identificador).

10. Introduzca el número de acceso telefónico de su ISP y pulse **Siguiente**. Tras ello, haga clic en **Finalizar** (véase la figura 7.10).

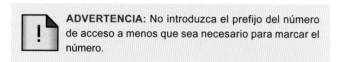

ADVERTENCIA: No introduzca el prefijo del número de acceso a menos que sea necesario para marcar el número.

11. Tras ello, seleccione Inicio>Panel de control> Conexiones de red e Internet>Conexiones

de red y haga doble clic en el nombre de la nueva conexión que acaba de crear (véase la figura 7.11).

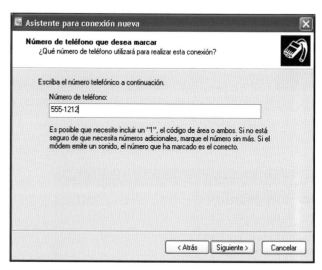

Figura 7.10.
Introduzca el número de acceso telefónico de su ISP.

12. Introduzca su nombre de usuario y contraseña en los correspondientes campos.

13. Si este proceso no le ayuda a establecer la conexión, póngase en contacto con el servicio de asistencia técnica de su ISP.

Reparar conexiones defectuosas

Si su conexión desaparece repentinamente sin motivo aparente, siga los pasos descritos a continuación:

1. En primer lugar, compruebe el tono de marcado. Si ha activado la función de llamadas en espera, una llamada entrante puede cancelar la conexión. Cuando se conecte a la red, desactive las llamadas en espera.

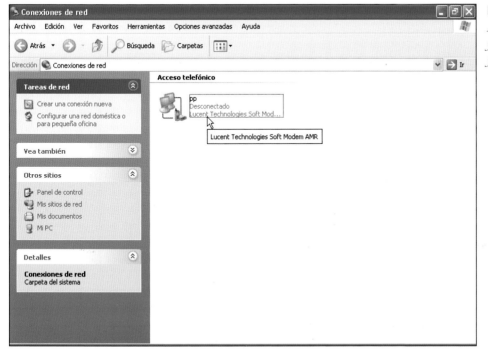

Figura 7.11.
Abra la nueva conexión de acceso telefónico y vuelva a introducir su nombre de usuario y contraseña.

 NOTA: Algunos de los módem más modernos pueden aceptar llamadas entrantes y llamadas en espera. Compruebe el manual de usuario de su módem.

2. Tras ello, indique a Windows que desactive las llamadas en espera. Seleccione Inicio>Panel de control>Conexiones de red e Internet> Conexiones de red y haga doble clic sobre su conexión de acceso telefónico.

3. Haga clic en el botón **Propiedades** (véase la figura 7.12).

4. Marque la casilla Usar reglas de marcado y pulse el botón **Reglas de marcado**, como se indica en la figura 7.13.

Figura 7.12.
Haga clic en el botón Propiedades.

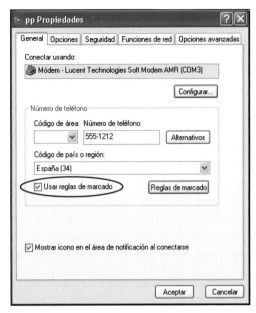

Figura 7.13.
Haga clic en el botón Reglas de marcado.

5. En la ficha **Reglas de marcado**, en el grupo **Ubicaciones**, seleccione la ubicación que aparezca y haga clic en el botón **Editar** (véase la figura 7.14).

6. Marque la casilla **Deshabilitar llamada en espera al marcar** e introduzca el correspondiente código en el campo situado a la derecha (véase la figura 7.15).

7. Si la llamada en espera no cancela las conexiones, puede que el parámetro de tiempo de inactividad sea demasiado bajo. Abra la ficha **Opciones** de la pantalla de propiedades y compruebe que el menú desplegable **Tiempo de inactividad antes de colgar** está establecido en **Nunca** (véase la figura 7.16).

Figura 7.14.
Seleccione la ubicación y pulse Editar.

Figura 7.15.
Deshabilite las llamadas en espera.

Figura 7.16.
Establezca el tiempo de inactividad en Nunca.

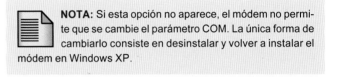

ADVERTENCIA: Si ha contratado un plan sin tarifa plana con su operador, establezca el tiempo de inactividad en un valor menor que Nunca. En caso contrario, si se olvida de desconectarse de la red, la factura puede ser desorbitada.

Cambiar el puerto COM

Si el **Administrador de dispositivos** le indica que hay un conflicto entre recursos, pruebe a cambiar el puerto COM del módem. De esta forma se modifica el parámetro IRQ y se eliminan los conflictos con otros dispositivos.

1. Abra la pantalla de propiedades de su módem. Para ello, haga doble clic sobre su entrada en el

Administrador de dispositivos o seleccione **Inicio>Panel de control>Impresoras y otro hardware>Opciones de teléfono y módem**, seleccione la ficha **Módems** y haga doble clic sobre su módem (véase la figura 7.17).

Figura 7.17.
Abra la pantalla de propiedades de su módem.

2. Abra la ficha **Opciones avanzadas** y haga clic en el botón **Configuración avanzada de puerto** (véase la figura 7.18).

NOTA: Si esta opción no aparece, el módem no permite que se cambie el parámetro COM. La única forma de cambiarlo consiste en desinstalar y volver a instalar el módem en Windows XP.

3. Seleccione un nuevo puerto COM en el menú desplegable **Número de puerto COM**, como se indica en la figura 7.19, y haga clic en **Aceptar**.

Figura 7.18.
Haga clic en el botón Configuración avanzada de puertos.

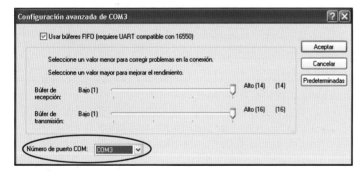

Figura 7.19.
Seleccione un nuevo puerto COM en el menú desplegable.

Actualizar el controlador del módem

La actualización del controlador del módem es una forma muy eficaz para evitar problemas de conexión y de garantizar que funcione a velocidades optimas.

1. En primer lugar, busque el número de versión del controlador de módem que haya instalado en Windows XP. Seleccione Inicio>Panel de control>Impresoras y otro hardware> Opciones de teléfono y módem, y haga doble clic sobre su módem.

2. Haga clic en la ficha **Controlador** y anote la marca, el modelo y el número de versión del controlador instalado (véase la figura 7.20).

Figura 7.20.
Anote la marca, el número de modelo y la versión del controlador del módem.

3. Desplácese hasta la sección de asistencia del sitio Web del fabricante de su PC o de su módem, y descargue el último controlador para Windows.

4. Para instalar una actualización, vuelva a la ficha **Controlador** y haga en el botón **Actualizar controlador** para iniciar el Asistente para

actualización de hardware de Windows, que le guiará por el proceso de instalación.

> NOTA: Si el controlador de su módem incluye programas de instalación propios, utilícelos en lugar de instalar manualmente el controlador. Basta con descargar el archivo, descomprimirlo en caso de que sea necesario y ejecutar el programa de instalación.

5. En la pantalla inicial del asistente, seleccione **Instalar desde una lista o ubicación específica (avanzado)**, como se indica en la figura 7.21.

Figura 7.21.
Inicie el Asistente para actualización de hardware y seleccione Instalar desde una lista o ubicación específica (avanzado).

6. Windows solicitará una ubicación específica en la que buscar los archivos del controlador. Seleccione **Buscar el controlador más adecuado en estas ubicaciones** y marque las correspondientes

casillas de verificación para esta opción. Si ha descargado los archivos, marque la opción **Incluir esta ubicación en la búsqueda** y utilice el botón **Examinar** para seleccionar la carpeta correcta (véase la figura 7.22). Si los nuevos archivos se encuentran en un CD o un disquete, marque la casilla **Buscar en medios extraíbles** e introduzca el medio en el que se encuentran los archivos.

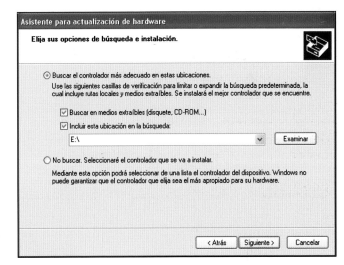

Figura 7.22.
Haga clic en el botón Examinar y seleccione la carpeta en la que haya almacenado el archivo del controlador.

7. Haga clic en **Siguiente**. El asistente le guiará por el proceso de instalación.

>
> TRUCO: Si el nuevo controlador no funciona, resulta muy sencillo desinstalarlo; basta con hacer clic en el botón **Volver al controlador anterior** y seguir las instrucciones que aparecen en pantalla.

PROBLEMAS RELACIONADOS CON CONEXIONES DE BANDA ANCHA

Por lo general, la reparación de problemas relacionados con conexiones de banda ancha suele ser muy sencilla o muy complicada. La parte positiva es que los problemas más fáciles de resolver son los más habituales y es muy probable que las soluciones proporcionadas en los siguientes apartados le sirvan. En caso contrario, no pierda su tiempo y póngase en contacto con el servicio de asistencia técnica.

PRIMERO PRUEBE CON ESTO

Antes de probar ningún otro remedio, apague su ordenador, su módem por cable o DSL, y el enrutador, en caso de que use uno. Espere durante 30 segundos y luego encienda el módem, el enrutador y el ordenador, por este orden. Se sorprenderá con qué frecuencia este proceso permite solucionar los problemas de la conexión; es lo primero que cualquier servicio de asistencia tiene que hacer.

Fundamentos de la banda ancha

Internet funciona como un sistema telefónico: todos los ordenadores tienen una dirección numérica, denominada dirección IP. Cuando hacemos clic en el vínculo a un sitio Web, el ordenador envía una solicitud a la dirección IP de dicho sitio. La solicitud se desplaza desde el ordenador al ISP a través del módem y, tras ello, pasa de un equipo a otro hasta alcanzar su destino. El ordenador del sitio Web recibe la solicitud, determina cuál es la página deseada y a qué dirección IP enviarla, y nos la remite a través de Internet.

Una dirección IP es incluso similar a un número de teléfono: está formada por cuatro grupos de hasta tres cifras separados por puntos, como por ejemplo 128.127.02.36. La mayoría de las direcciones IP de Internet también tienen un nombre más sencillo de recordar para el usuario, el nombre de dominio. Por ejemplo, Yahoo.com es el nombre de dominio de la dirección IP 66.894.234.13. Al introducir la dirección IP en la barra de direcciones de un navegador se accede al sitio Web, de la misma forma que si hubiéramos introducido el nombre del sitio Web.

Por lo general, su ISP asignará a su ordenador una dirección IP diferente cada vez que se conecte a Internet.

NOTA: Algunos ISP ofrecen direcciones IP estáticas, que son direcciones permanentes que nunca cambian. Normalmente tienen un precio superior pero resultan muy indicadas para usuarios que alojan sitios Web.

Si su módem se conecta a un enrutador, que a su vez se conecta a uno o varios ordenadores de una red local, el ISP asignará una dirección IP a su enrutador y, éste, otra dirección IP distinta a cada ordenador de la red.

Además de la dirección IP del ordenador, puede que necesite saber la dirección IP de la puerta de enlace predeterminada de su equipo. Como su nombre indica, se trata del portal de acceso del ordenador a Internet; al hacer clic sobre el vínculo de un sitio Web o enviar un correo electrónico, el ordenador envía su solicitud a la puerta de enlace predeterminada, que la pasa al ISP o a la siguiente parada del trayecto. Puede determinar la dirección IP de su ordenador y la dirección IP de la puerta de enlace predeterminada si ejecuta la utilidad ipconfig (véase la figura 7.23).

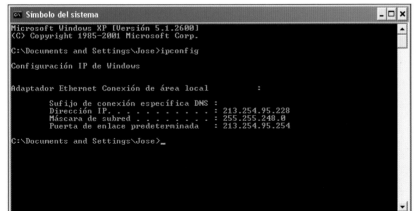

Figura 7.23.
La utilidad ipconfig le revela su dirección IP y la puerta de enlace predeterminada.

LOCALIZAR LA DIRECCIÓN IP

Puede localizar la dirección IP de su ordenador y otros datos sobre la configuración de red si ejecuta la utilidad `ipconfig` desde la ventana Símbolo del sistema de Windows. Para ello, seleccione Inicio>Ejecutar, introduzca **ipconfig** en el campo de texto y haga clic en **Aceptar**. En la ventana Símbolo del sistema, introduzca **ipconfig** para ver la dirección IP del ordenador y la puerta de enlace predeterminada. Si desea ver más datos sobre la configuración de red, introduzca **ipconfig/a**.

NOTA: En ocasiones, los cables de teléfono y Ethernet se estropean. Si lo ha intentado todo, pruebe a sustituir sus cables; obtendrá el material necesario por menos de 15 euros en cualquier tienda de informática.

ADVERTENCIA: Existen dos tipos de cables Ethernet: un cable estándar y un cable cruzado. Los distribuidores suelen proporcionar el cableado correcto para sus equipos pero si ha realizado personalmente la instalación o ha cambiado los cables, compruebe que son del tipo correcto. Consulte el manual de usuario.

Buscar problemas locales

1. Compruebe los cables y las conexiones. Desenchufe y enchufe todas las conexiones, incluyendo las líneas de teléfono, conectores del cable y conectores Ethernet. Si acaba de configurar su módem o un enrutador, asegúrese de que todo está conectado al puerto correcto y compruebe que los dispositivos reciben alimentación.

2. Compruebe los indicadores luminosos de su módem. Los módem por cable y DSL cuentan con distintas luces de estado para controlar los datos entrantes y salientes, y le indican si el ordenador se comunica con el módem y con el ISP. La mayoría de los módem incorpora algunos o todos los indicadores luminosos descritos en el siguiente apartado. Consulte el manual de su módem, en el que encontrará una completa descripción de los indicadores que utiliza.

3. Revise los filtros DSL. Las conexiones DSL son muy sensibles a interferencias electrónicas provocadas por teléfonos, faxes y otros dispositivos conectados a una línea telefónica DSL. Muchos módem DSL cuentan con filtros de línea ubicados entre la toma de la pared y el teléfono o dispositivo que comparta la línea telefónica del módem. Si no tiene instalados estos filtros, consulte con su proveedor de DSL para ver si los necesita. Por lo general puede comprarlos en cualquier tienda de electrónica o informática por menos de 15 euros.

Comprobar las luces del módem

Los indicadores luminosos de un módem pueden desvelar si éste se comunica correctamente con el ISP y con el ordenador. En el manual de su módem encontrará descripciones de estos indicadores. La mayoría de los módem usa los siguientes indicadores luminosos:

- **Alimentación/estado:** Esta luz confirma que el módem está funcionando. Un parpadeo constante puede indicar problemas internos del hardware o el firmware.

- **Sincronización o conexión:** Esta luz indica una conexión satisfactoria con el ISP.

- **Actividad LAN:** Luz que muestra que los datos se transfieren entre el módem y la tarjeta Ethernet de su ordenador.

- **Actividad de línea:** Luz que nos indica que los datos se transfieren entre el módem del ordenador e Internet.

 TRUCO: Una forma rápida de saber si el módem recibe señal consiste en encender la televisión por cable. Si no hay señal de televisión, es muy probable que tampoco haya señal de datos.

Buscar motivos externos

Si ninguna de las soluciones anteriores funciona, puede que el problema no se encuentre en el ordenador.

1. Consulte con su proveedor de servicios de Internet. En ocasiones, los ISP tienen fallos. Si está conectado a Internet, visite el sitio Web de su ISP y busque actualizaciones de estados. En caso contrario, póngase en contacto con ellos.

2. Compruebe si ha cancelado o cambiado su cuenta bancaria últimamente. Es uno de los motivos más habituales de interrupción del servicio por parte del ISP.

3. Recurra a la utilidad de ping de Windows XP o a una utilidad similar de terceros para probar la conexión. Esta utilidad envía una breve señal a un sitio Web o a cualquier otro equipo de Internet de su red local. Cualquier ordenador que la reciba devuelve inmediatamente otra señal al equipo emisor para confirmar la integridad de la conexión.

4. Abra la utilidad de ping desde la ventana **Símbolo del sistema** de Windows XP. Para ello, seleccione **Inicio>Ejecutar** e introduzca **cmd** en el campo de texto. Se abrirá la ventana que aparece en la figura 7.24.

5. En la ventana del símbolo del sistema, introduzca **ping** seguido por el nombre de dominio o dirección IP del ordenador que desee (véase la figura 7.25). Por ejemplo, puede enviar un ping a Yahoo si

escribe `ping yahoo.com` o utiliza la dirección IP `ping 66.94.234.13`. Pulse **Intro**.

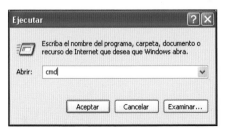

Figura 7.24.
Seleccione Inicio>Ejecutar e introduzca cmd.

Figura 7.25.
Escriba ping e introduzca la dirección IP del equipo que desee.

6. Si como se indica en la figura 7.26, ve varias instancias de la entrada **Respuesta desde...**, el ordenador se ha conectado correctamente a Yahoo. En caso contrario, no habrá podido establecer la conexión.

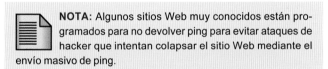

NOTA: Algunos sitios Web muy conocidos están programados para no devolver ping para evitar ataques de hacker que intentan colapsar el sitio Web mediante el envío masivo de ping.

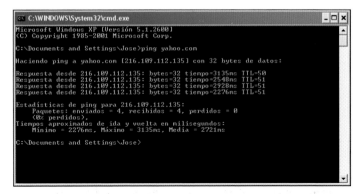

Figura 7.26.
Si obtiene una respuesta significa que se puede conectar a un determinado sitio Web.

7. Utilice el ping para probar la conexión de red de su propio ordenador. Introduzca `ping 127.0.0.1`. Si recibe un mensaje indicando que la solicitud está fuera de tiempo, significa que el ordenador tiene problemas para conectarse a su propia tarjeta de red (véase la figura 7.27).

   Revise la configuración de su red o póngase en contacto con su ISP.

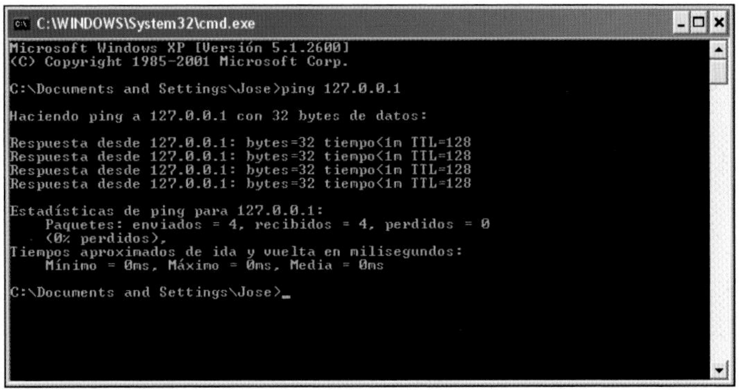

Figura 7.27.
Al hacer ping a la dirección IP 127.0.0.1 puede comprobar la conexión a la tarjeta de red de su ordenador.

8. Si el paso anterior indica que el ordenador y la tarjeta de red se comunican correctamente, puede utilizar ping para comprobar la conexión a la puerta de enlace predeterminada. Mediante `ipconfig` puede determinar la dirección IP de su puerta de enlace predeterminada. Si recibe un mensaje indicando que la solicitud está fuera de tiempo, puede que el problema se deba a la puerta de enlace, ya sea por parte del ISP o del enrutador. Póngase en contacto con su ISP.

9. Sam Spade es una utilidad gratuita que añade una cara amable a la utilidad de ping anterior. Puede descargarla en la dirección `www.samspade.org` (véase la figura 7.28).

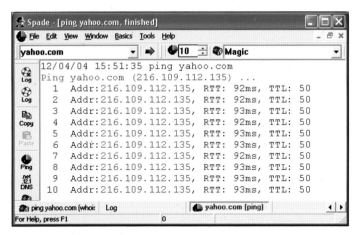

Figura 7.28.
Sam Spade ofrece una interfaz para ping y otras utilidades.

PROTEGER SU ORDENADOR

Mantener protegido nuestro ordenador de software e intrusos no deseados nunca ha sido más importante y, desafortunadamente, tan complicado. Al conectar nuestro equipo a Internet nos enfrentamos a gente que quiere vendernos cosas, a otros que intentan apoderarse de información personal y a otros que no tienen nada mejor que hacer que dificultarnos la vida. Sin embargo, con cierto esfuerzo podemos evitarlos a todos.

Eliminar y bloquear virus

En lo que respecta a los virus, más vale prevenir que curar. Si sospecha que su equipo está infectado con un virus, un programa antivirus puede eliminarlo pero no siempre es así. Cada día aparecen nuevos virus y aunque actualice frecuentemente su programa antivirus, su PC puede verse dañado. Además, un antivirus no puede reparar los daños más graves inflingidos por programas dañinos. A continuación le ofrecemos una serie de consejos para evitar virus en su ordenador:

1. Instale un buen programa antivirus y actualícelo semanalmente. Compruebe todos los informes acerca de analizadores de virus en PC World (`www.pcworld.com`) antes de adquirir un determinado programa, ya que varían en precio y en eficacia. No olvide sumar el coste de las actualizaciones anuales; por lo general el primer año es gratuito al comprar el producto original.

2. Si localiza y elimina un virus, es aconsejable eliminar los puntos de restauración antiguos de Windows y crear uno nuevo tras limpiar el ordenador; los puntos de restauración anteriores pueden estar infectados y volver a propagar el virus si se restauran. En un capítulo anterior encontrará más información al respecto.

3. No ejecute programas de software, sobre todo gratuitos, que haya descargado de Internet a menos que provengan de una fuente fiable.

4. No abra archivos adjuntos de correo electrónico desconocidos. Sólo porque confíe en el remitente no significa que deba fiarse del archivo adjunto.

ARCHIVOS ADJUNTOS PELIGROSOS

La apertura de un archivo adjunto de correo electrónico es una de las formas más habituales de contagiar a nuestro ordenador con un virus. Se preguntará cómo distinguir entre qué abrir y qué no. Los archivos adjuntos peligrosos son los que, al abrirlos, ejecutan un programa, un archivo ejecutable. A menudo reconocerá estos programas por su extensión, por ejemplo `virus mortal.exe` o `exterminador.exe`. Nunca debe abrir archivos con las extensiones `.exe`, `.com`, `.vbs`, `.lnk`, `.pif`, `.src`, `.bat`, `.js` o `.dot`, a menos que esté completamente seguro de su validez. También existen otras extensiones peligrosas, por lo que como regla de oro, nunca abra un archivo adjunto de correo electrónico con una extensión que no conozca.

Detener programas de publicidad, espías y anuncios emergentes

Los programas espías y de publicidad son software creado por empresas que controlan nuestra actividad en línea, recopilan datos de mercado y nos bombardean con molestos anuncios emergentes. Desafortunadamente, estos programas parecen cada vez más habituales, como el correo basura, pero existen programas que nos permiten eliminarlos y proteger nuestro PC, como indicamos a continuación:

1. Protéjase con el software adecuado. Existen multitud de productos de eliminación y algunos de los mejores son gratuitos. Al cierre de esta edición, los mejores programas eran Ad-Aware SE Personal Edition de Lavasoft (`www.lavasoft.com`)

y Spybot Search & Destroy de Patrick Kolla (`www.safer-networking.com`), reproducido en la figura 7.29. Puede descargarlos e instalarlos de forma gratuita.

2. También puede conseguir protección adicional sin coste alguno de programas que bloquean anuncios emergentes como el de la barra de herramientas de Google (`www.google.com`) o de Yahoo (`www.yahoo.com`).

3. El Service Pack 2 de Windows XP también incluye funciones de bloqueo de anuncios y soluciona la mayor parte de los fallos de seguridad de Windows.

4. Configure los parámetros de seguridad de su navegador en los niveles más tolerables posibles: un elevado nivel de seguridad puede desactivar funciones de algunos sitios Web. En Internet Explorer 6, seleccione **Herramientas>Opciones de Internet** y haga clic en la ficha **Privacidad**. Desplace el regulador hasta el valor deseado, como se indica en la figura 7.30.

5. Pruebe con otro navegador. Firefox es un navegador excelente menos susceptible que Internet Explorer a programas intrusos. Puede descargarlo de Mozilla (`www.mozilla.com`).

Evitar a los hacker: desactive compartir archivos

La forma más eficaz de evitar que los hacker accedan a nuestro ordenador y husmeen en nuestro archivos consiste en no compartir archivos en Windows XP. Al compartir archivos, otros usuarios de nuestra red pueden ver los archivos de nuestro PC. Si no tiene motivos para compartir archivos, desactive esta función:

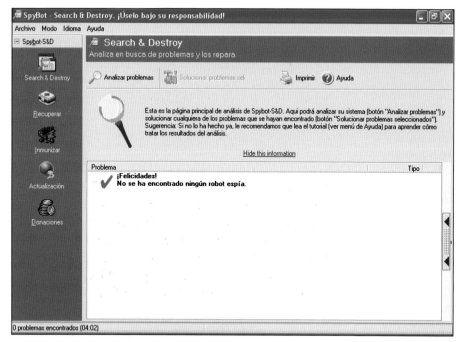

Figura 7.29.
Spybot Search & Destroy elimina programas espía y protege su PC de futuras incursiones.

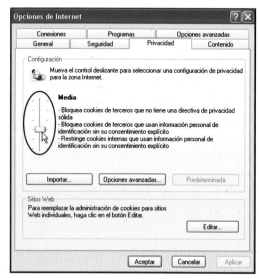

Figura 7.30.
Configure los niveles de privacidad de Internet Explorer en el nivel de mayor tolerancia posible.

1. Seleccione Inicio>Panel de control>Conexiones de red e Internet>Conexiones de red.

2. Haga clic con el botón derecho del ratón sobre el icono Conexión de área local y seleccione **Propiedades** (véase la figura 7.31).

3. En el apartado Esta conexión utiliza los siguientes elementos, anule la selección de la opción Compartir impresoras y archivos para redes Microsoft (véase la figura 7.32). Pulse **Aceptar**.

 NOTA: Si no aparece la opción Compartir impresoras y archivos para redes Microsoft, puede que no la haya configurado en su equipo.

Figura 7.31.
Haga clic con el botón derecho del ratón sobre el icono conexión de área local y seleccione Propiedades.

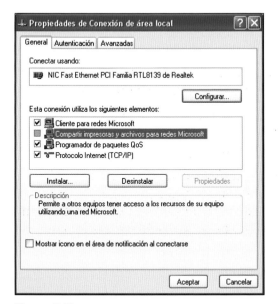

Figura 7.32.
Anule la selección de la casilla Compartir impresoras y archivos para redes Microsoft.

Detener a los hacker: habilitar un cortafuegos

Un cortafuegos de software o hardware actúa como vigilante y filtra todo el tráfico de Internet que accede y sale de nuestro PC para evitar intrusiones no deseadas. El cortafuegos de hardware más habitual es el enrutador, que se sitúa entre el módem de banda ancha y el ordenador, y que actúa como búfer entre el ordenador e Internet. La principal función de un enrutador es la de compartir una misma conexión entre varios equipos pero aunque sólo tenga un ordenador puede que merezca la pena instalar un enrutador para mejorar la seguridad. Existen distintos programas de cortafuegos en el mercado, como ZoneAlarm y Trend Micro PC-cillin Internet Security 2005, aunque también puede instalar el que incorpora Windows XP de forma gratuita. Es parte del Service Pack 2.

CONJUNTO DE HERRAMIENTAS DE PROTECCIÓN

A continuación ofrecemos algunas sugerencias para proteger su ordenador de invasores externos. Algunas suites de software de seguridad ofrecen paquetes todo en uno mientras que otras se centran en problemas concretos. Como estos productos están en continua evolución y cada día aparecen otros nuevos, le aconsejamos que consulte los informes sobre productos que nos ofrecen sitios como PC World (`www.pcworld.com`) o CNET (`www.cnet.com`). Nuestras recomendaciones son las siguientes:

- **Cortafuegos de software:** Zone Labs ZoneAlarm Pro 5 (`www.zonelabs.com`).

- **Cortafuegos de hardware:** Enrutadores de Lynksys (`www.lynksys.com`) o Netgear (`www.netgear.com`).

- **Analizador de virus:** AVG un Anti-virus de Grisoft (`www.grisoft.com`).

- **Publicidad y programas espía:** Ad-Aware (`www.adaware.com`) y también Spybot Search & Destroy (`www.safer-networking.org`).

- **Suite de seguridad:** Trend Micro PC-cillin Internet Security 2005 (`www.trendmicro.com`).

Crear un filtro contra el correo basura

La mayor parte de los programas de correo electrónico incluyen una función de filtrado de mensajes que nos permite crear un filtro contra el correo basura personalizado y bastante eficaz. A continuación le indicamos cómo hacerlo en Outlook Express:

1. Analice los correos basura y confeccione una lista con las palabras clave más habituales que puede utilizar para filtrarlo. Por ejemplo puede utilizar píldoras, Viagra, créditos, hipotecas y distintas partes del cuerpo.

> **ADVERTENCIA:** Seleccione cuidadosamente sus palabras clave. No escoja las que puedan incluirse en correos electrónicos que puedan interesarle. Compruebe su carpeta de correo basura para ver si hay correo válido.

2. A continuación, abra Outlook Express y seleccione **Herramientas>Reglas de mensaje>Correo** para acceder a la pantalla **Reglas de mensaje**. Haga clic en **Nueva** (véase la figura 7.33).

3. En el grupo **Seleccione las condiciones para la regla**, marque la parte del correo que desee filtrar, como se indica en la figura 7.34. Por ejemplo, para analizar el cuerpo de los correos entrantes, marque la casilla **El cuerpo del mensaje contiene las palabras especificadas**.

4. En el cuadro **Descripción de la regla** verá las opciones **Aplicar esta regla después de la llegada del mensaje** y **El cuerpo del mensaje contiene las palabras especificadas**. Haga clic sobre el vínculo **Contiene las palabras especificadas** y pulse **Agregar** (véase la figura 7.35).

La palabra se añadirá al filtro. Pulse **Aceptar** cuando haya añadido todas las palabras de la lista.

Figura 7.33.
Haga clic en Nueva para crear una nueva regla.

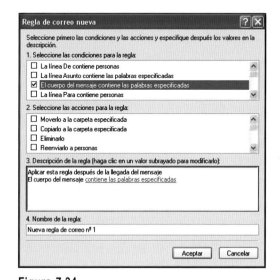

Figura 7.34.
Seleccione la parte del mensaje de correo electrónico que desee analizar.

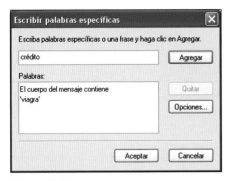

Figura 7.35.
Introduzca una palabra y pulse Agregar.

5. En el grupo **Seleccione las acciones para la regla**, marque la opción **Moverlo a la carpeta especificada**; dentro del cuadro **Descripción de la regla**, haga clic sobre la palabra **especificada** (véase la figura 7.36).

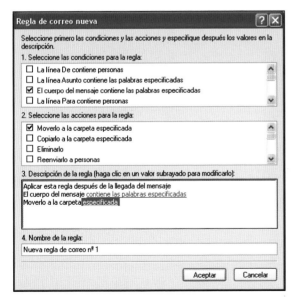

Figura 7.36.
Haga clic en especificada para crear una carpeta para el correo basura.

6. En la pantalla **Mover**, cree una nueva carpeta. Haga clic en el botón **Nueva carpeta** e introduzca **Correo basura** o el nombre que desee. Pulse **Aceptar** dos veces (véase la figura 7.37).

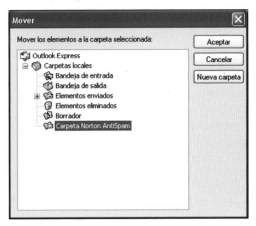

Figura 7.37.
Cree una nueva carpeta para almacenar los mensajes de correo basura.

7. Vuelva a pulsar **Aceptar** dos veces. De esta forma, todo el correo electrónico entrante que cumpla estas condiciones se moverá a la carpeta de correo basura para que pueda comprobarlo y eliminarlo de forma rápida.

 TRUCO: Para poder eliminar todos los mensajes de correo basura de una vez, seleccione un mensaje, pulse **Control-A** para seleccionar el resto y haga clic en **Supr**.

Solucionar problemas relacionados con impresoras y otros periféricos

8

Solucionar problemas relacionados con impresoras y otros periféricos

Un ordenador no sirve de mucho si no podemos transferir datos. Los problemas con la conexión de una impresora u otro dispositivo periférico pueden deberse al propio dispositivo o a la conexión con el ordenador. Comience el proceso de reparación comprobando la conexión.

PROBLEMAS DE CONEXIÓN: CONEXIONES USB, FIREWIRE Y PARALELAS

Ninguna impresora, cámara digital o dispositivo periférico puede funcionar en un ordenador si no cuenta con la conexión adecuada. La gran mayoría de periféricos del mercado utilizan conexiones USB, otros emplean conexiones FireWire y un número cada vez menor de dispositivos antiguos recurren a las tradicionales conexiones de puertos paralelos.

Comprobar las conexiones USB

Para que su impresora, ratón o dispositivo USB funcione correctamente necesita que el bus USB esté en perfectas condiciones. A continuación le indicamos qué aspectos debe comprobar:

1. En primer lugar, desconecte y vuelva a conectar ambos extremos de su cable USB. Si utiliza un concentrador USB, desconecte el dispositivo del concentrador y enchúfelo directamente a la parte trasera del PC. Desconecte el resto de dispositivos USB de su ordenador. Seguidamente, apague el dispositivo USB, si se puede apagar, y reinicie su ordenador. Si el dispositivo funciona, vuelva a conectar los demás dispositivos USB uno a uno para comprobar cuál es el causante del problema.

2. Si utiliza un concentrador USB, vuelva a conectarlo. En teoría, todos los dispositivos USB deben funcionar correctamente al conectarlos a un concentrador USB pero en realidad algunos no lo hacen y es necesario conectarlos directamente al ordenador.

 TRUCO: Si usa un concentrador USB con alimentación propia, compruebe que el adaptador de alimentación está conectado y que el concentrador recibe corriente. Encontrará detallada información al respecto en un apartado posterior.

3. Compruebe que el USB está correctamente instalado en Windows XP. Abra el **Administrador de dispositivos**. Para ello, seleccione **Inicio**, haga clic con el botón derecho del ratón sobre **Mi PC**, seleccione **Propiedades** y la ficha **Hardware**. Haga clic en el botón **Administrador de dispositivos**. Desplácese hasta la entrada **Controladoras de bus serie universal (USB)** y haga doble clic sobre la misma (véase la figura 8.1).

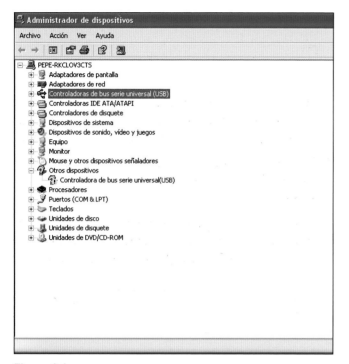

Figura 8.1.

Busque la entrada Controladoras de bus serie universal (USB) en el Administrador de dispositivos.

4. Si aparece una X de color rojo junto a alguna de las entradas correspondientes a una controladora USB o al concentrador raíz USB (véase la figura 8.2), haga doble clic sobre dicha entrada y, en la ficha **General** en el grupo **Uso del dispositivo**, seleccione **Utilizar este dispositivo (habilitar)** en el menú desplegable.

5. Si aparece un círculo amarillo junto a alguna de las entradas, compruebe si el en grupo **Estado del dispositivo** de la ficha **General** se informa de posibles conflictos (véase la figura 8.3).

6. Si en el **Administrador de dispositivos** no aparecen entradas de controladoras USB, compruebe la

configuración de la BIOS. Busque en los menús cualquier parámetro USB y asegúrese de que están habilitados.

Figura 8.2.

Una X de color rojo indica que el dispositivo se ha deshabilitado.

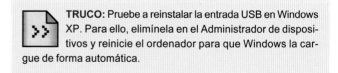

TRUCO: Pruebe a reinstalar la entrada USB en Windows XP. Para ello, elimínela en el Administrador de dispositivos y reinicie el ordenador para que Windows la cargue de forma automática.

Problemas de energía USB

Muchos dispositivos USB no cuentan con un adaptador que se conecte a la red eléctrica, sino que reciben

la energía a través de su conexión USB. Desafortunadamente, estas conexiones suelen fallar y, cuando esto
sucede, el dispositivo USB puede bloquearse o incluso
el PC puede dejar de funcionar.

 NOTA: Los dispositivos USB más exigentes, como discos duros externos y unidades de DVD, incorporan sus
propios adaptadores de energía.

1. Intente determinar cuánta energía utiliza cada puerto USB, es decir, cada concentrador raíz, en su PC.
Para ello, abra el **Administrador de dispositivos**.

2. Desplácese hasta la entrada **Controladoras de
bus serie universal (USB)** y haga doble clic
sobre la misma.

3. Verá una entrada para cada concentrador raíz de su
ordenador. Haga doble clic sobre la primera y
seleccione la ficha **Energía** (véase la figura 8.4).

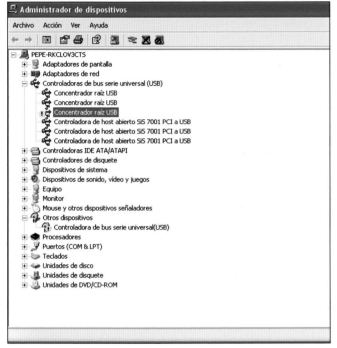

Figura 8.3.

*Un círculo amarillo significa que el USB no se ha instalado
correctamente en el ordenador.*

Sobrecarga de energía

Muchos dispositivos USB como ratones, teclados y
altavoces dependen del cable USB para recibir energía
y datos. Si tiene varios de estos dispositivos conectados a un mismo puerto USB de su PC, puede so-
brecargar el puerto USB y provocar su colapso. A
continuación le indicamos cómo revisar y controlar el
consumo de energía USB:

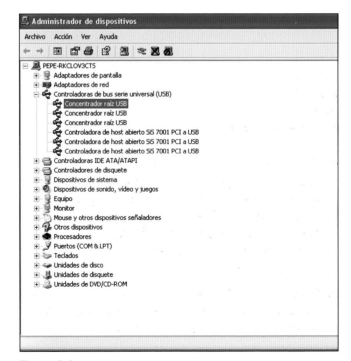

Figura 8.4.

*Abra el listado de controladoras USB en el Administrador
de dispositivos.*

4. En el grupo **Dispositivos conectados**, verá cada uno de los dispositivos conectados a un puerto en dicho concentrador raíz, además de los requisitos de energía máximos para el mismo. La suma total de los requisitos de energía no debe superar los 500 miliamperios (véase la figura 8.5).

Figura 8.5.
Compruebe la ficha Energía de todas las entradas Concentrador raíz.

> **! ADVERTENCIA:** Hay dos tipos de concentradores USB: los que se alimentan automáticamente y los que reciben energía del bus. Estos últimos obtienen energía del concentrador raíz USB, así que no sirve de nada aliviar las sobrecargas de energía. Intente adquirir el otro tipo de concentrador, que incorpora su propio adaptador de energía.

> **NOTA:** Su ordenador debe tener un concentrador raíz para cada dos puertos USB. Cada concentrador raíz proporciona un máximo de 500 miliamperios para compartir entre todos los dispositivos conectados.

5. Si un concentrador raíz USB consume demasiada energía, pruebe a cambiar los dispositivos a otro puerto de un concentrador diferente. Si tiene todos los puertos USB están utilizados, pruebe con un concentrador USB (véase la figura 8.6). Le permitirá ampliar un puerto USB a dos, cuatro o más puertos.

Figura 8.6.
Un concentrador USB puede ampliar un mismo puerto USB a varios.

Problemas con el modo de suspensión

Si un ratón o cualquier otro dispositivo USB no funciona o hace que el ordenador se bloquee al activar el equipo tras el modo suspensión, puede que haya un problema entre el USB y la administración de energía del ordenador. Siga los pasos descritos a continuación:

1. Actualice Windows con el Service Pack 1, como mencionamos en un capítulo anterior.

> **NOTA:** Si ya ha actualizado Windows a Service Pack 2, perfecto. No obstante, si no desea instalar SP2, sólo tendrá que actualizar a SP1 para reparar los problemas de compatibilidad.

transferir datos hasta a 480 MB por segundo, velocidad suficiente para utilizar discos duros, unidades de DVD y otros dispositivos de banda ancha. Sin embargo, puede que su equipo sólo cuente con USB 1.1, mucho más lento y con una velocidad máxima de 12 MB por segundo.

Figura 8.7.
Si deshabilita la administración de energía puede resolver problemas de compatibilidad con USB.

2. Si la actualización de Windows no funciona, intente desactivar la administración de energía de cada concentrador raíz USB. En cada una de sus pantallas de propiedades, seleccione la ficha **Administración de energía** y anule la selección de la casilla **Permitir al equipo apagar este dispositivo para ahorrar energía** (véase la figura 8.7). Pulse **Aceptar**.

Problemas de velocidad USB

Si su dispositivo periférico USB se ejecuta con lentitud, puede que el bus USB sea un cuello de botella. La mayoría de los ordenadores fabricados en los últimos años están equipados con la versión de alta velocidad más actualizada de USB: USB 2. En teoría, permite

1. Para saber qué tipo de USB hay instalado en su ordenador, siga estas instrucciones. Si utiliza un dispositivo de banda ancha en un equipo antiguo, asegúrese de que dispone de una conexión USB 2. Abra la lista de controladoras de bus serie universal en el **Administrador de dispositivos**. Si ve la palabra **mejorada** en cualquiera de las entradas (véase la figura 8.8), significa que USB 2 está instalado en su equipo.

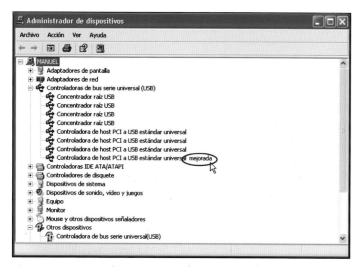

Figura 8.8.
Los ordenadores equipados con USB 2 tienen una controladora mejorada.

2. Si su equipo sólo admite USB 1.1, puede añadir una tarjeta adaptadora USB 2 a una ranura PCI libre de su placa.

3. Si utiliza un cable USB antiguo para conectar un periférico USB de alta velocidad, puede que el cable no admita velocidades de transferencia USB 2. Sin embargo, la mayoría de dispositivos USB de alta velocidad, incorporan un cable USB 2, por lo que no tendrá problemas.

Comprobar las conexiones FireWire

Si tiene problemas para conseguir que los dispositivos FireWire funcionen correctamente, a continuación le indicamos los problemas y soluciones más habituales:

1. Revise los cables. Desconecte y vuelva a conectar ambos extremos de su cable FireWire y también cualquier concentrador FireWire que utilice entre el ordenador y el dispositivo. Apague el dispositivo, reinicie el equipo y vuelva a encender el dispositivo.

2. Compruebe que usa el cable correcto. Hay dos variedades de cables FireWire: de 4 y 6 pines. Los de 6 transfieren energía y datos al dispositivo; los de 4, sólo transfieren datos. Por ello, si conecta un dispositivo que recibe energía a través de un cable de 4 pines, puede que no funcione correctamente.

3. Compruebe que FireWire está bien instalado en Windows XP. Abra el **Administrador de dispositivos**. Para ello, seleccione **Inicio**, haga clic con el botón derecho del ratón sobre **Mi PC** y seleccione **Propiedades**. Seleccione la ficha **Hardware**. Haga clic en el botón **Administrador de dispositivos**. Tras ello, haga doble clic sobre la entrada **Controladoras de host de bus IEEE 1394** (véase la figura 8.9).

4. Si aparece una X de color rojo junto a una de las entradas (véase la figura 8.10), haga doble clic sobre la misma y, en la ficha **General** bajo **Uso del dispositivo**, seleccione **Utilizar este dispositivo (habilitar)** en el menú desplegable.

5. Si aparece un círculo amarillo junto a alguna de las entradas, compruebe si el en grupo **Estado del dispositivo** de la ficha **General** se informa de posibles conflictos.

6. Si la conexión FireWire se ejecuta con lentitud, compruebe que el dispositivo está conectado directamente al ordenador. FireWire permite conectar dispositivos entre sí para compartir un mismo puerto FireWire. Sin embargo, está combinación tiene la velocidad del enlace más lento. En caso de que sea posible, conecte el dispositivo de mayor velocidad directamente al equipo y, tras ello, los demás dispositivos a éste.

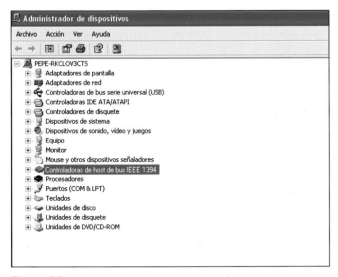

Figura 8.9.

Seleccione la entrada Controladoras de host de bus IEEE 1394.

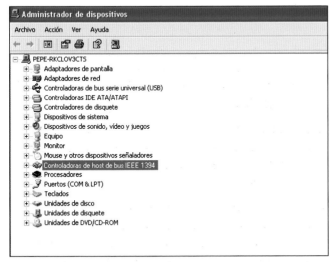

Figura 8.10.

Una X de color rojo indica que el dispositivo está deshabilitado en Windows XP.

7. Los cables FireWire de más de 5 metros puede que no funcionen correctamente.

Comprobar los puertos paralelos

Las conexiones de puerto paralelo comienzan a desaparecer de nuestros ordenadores pero muchas impresoras antiguas siguen utilizando este tipo de conexiones. A continuación destacamos los problemas y soluciones más habituales:

1. Si su impresora o dispositivo de puerto paralelo no funciona correctamente, desconecte y vuelva a conectar ambos extremos del cable. En caso de que sea posible, pruebe el cable paralelo en otro equipo; algunos cables, en especial los más económicos, suelen fallar. Al sustituir un cable paralelo, compruebe que su especificación garantiza la compatibilidad con IEEE 1294.

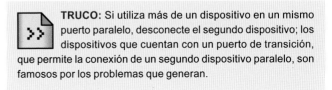

TRUCO: Si utiliza más de un dispositivo en un mismo puerto paralelo, desconecte el segundo dispositivo; los dispositivos que cuentan con un puerto de transición, que permite la conexión de un segundo dispositivo paralelo, son famosos por los problemas que generan.

2. Compruebe que el puerto paralelo está bien instalado en Windows XP. Abra el **Administrador de dispositivos**. Para ello, seleccione **Inicio**, haga clic con el botón derecho del ratón sobre **Mi PC** y seleccione **Propiedades**.

Seleccione la ficha **Hardware**. Haga clic en el botón **Administrador de dispositivos**. Tras ello, haga doble clic sobre la entrada Puertos (COM & LPT), como se indica en la figura 8.11.

Figura 8.11.
Seleccione Puertos (COM & LPT) en el Administrador de dispositivos.

3. Si aparece una X de color rojo junto a la entrada LPT, como en la figura 8.12, haga doble clic sobre la entrada y, en la ficha General, en el grupo Uso del dispositivo, seleccione Utilizar este dispositivo (habilitar) en el menú desplegable.

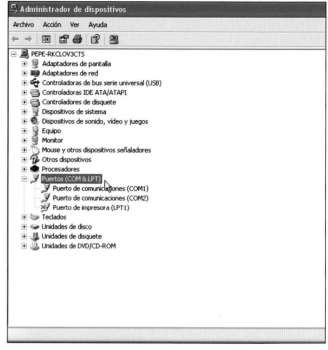

Figura 8.12.
Una X de color rojo significa que el dispositivo se ha deshabilitado en Windows XP.

4. Si aparece un círculo amarillo junto a cualquiera de las entradas, busque advertencias de conflictos en el grupo Estado del dispositivo, en la ficha General (véase la figura 8.13).

PROBLEMAS CON LAS IMPRESORAS

Los cuidados de una impresora son muy similares a los de cualquier otro componente del PC: comprobar que recibe alimentación y que está correctamente instalada y configurada en Windows. Sin embargo, comparadas con otros componentes y periféricos, las impresoras presentan una gran diferencia: partes móviles. Si sabe cómo funciona su impresora, se ahorrará mucho tiempo a la hora de solucionar los problemas relacionados con la misma.

Figura 8.13.
Busque advertencias de errores en el grupo Estado del dispositivo.

CÓMO FUNCIONAN LAS IMPRESORAS DE CHORRO DE TINTA

Como su nombre indica, estas impresoras crean caracteres e imágenes mediante la aplicación de diminutos y precisos puntos de tinta en la superficie del papel. La tinta se mueve a través de pequeñas boquillas conectadas a un ensamblaje deslizante denominado cabezal de impresión. En algunas impresoras, el cabezal se incluye en los cartuchos de tinta y, en otras, forma parte del mecanismo del dispositivo. Los circuitos de la impresora controlan el movimiento rápido y preciso del cabezal sobre el papel durante la aplicación de la tinta. Entre los problemas más habituales relacionados con estas impresoras destacamos el mantenimiento de un flujo continuo de tinta hacia el papel y la correcta alineación del cabezal.

Actualizar el controlador de la impresora

Si tiene problemas con sus trabajos de impresión, lo primero que debe hacer es actualizar el controlador de su impresora. Si no hay actualizaciones disponibles, vuelva a instalar el controlador actual.

1. Localice el número de versión de su controlador en la ficha **Acerca de** de las propiedades de su impresora. Para ello, ejecute los comandos **Inicio>Panel de control>Impresoras y otro hardware> Impresoras y faxes**, seleccione su impresora y haga doble clic sobre **Configurar propiedades de impresión**, en la parte inferior del menú **Tareas de impresión** situado en la parte izquierda de la pantalla.

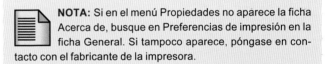

NOTA: Si en el menú Propiedades no aparece la ficha Acerca de, busque en Preferencias de impresión en la ficha General. Si tampoco aparece, póngase en contacto con el fabricante de la impresora.

2. Desplácese hasta el sitio Web del fabricante de la impresora y busque un controlador actualizado.

3. En la pantalla **Impresoras y otro hardware**, seleccione **Agregar una impresora** (véase la figura 8.14) y en la pantalla de bienvenida, haga clic en **Siguiente** (véase la figura 8.15).

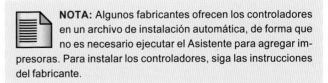

NOTA: Algunos fabricantes ofrecen los controladores en un archivo de instalación automática, de forma que no es necesario ejecutar el Asistente para agregar impresoras. Para instalar los controladores, siga las instrucciones del fabricante.

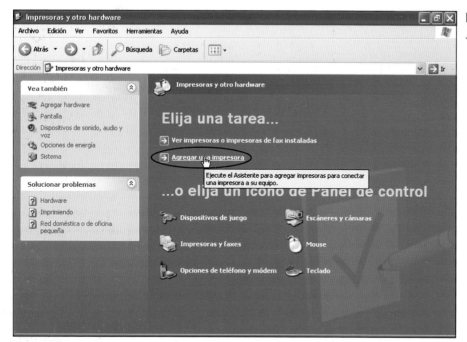

Figura 8.14.

Seleccione Agregar una impresora.

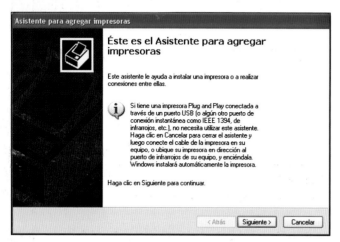

Figura 8.15.

Haga clic en Siguiente en la pantalla inicial.

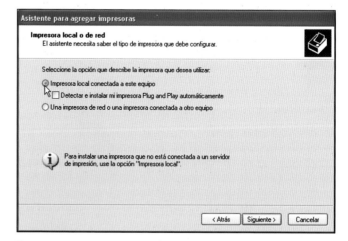

Figura 8.16.

Seleccione Impresora local conectada a este equipo.

4. Seleccione **Impresora local conectada a este equipo** (véase la figura 8.16) y pulse **Siguiente**.

5. En el grupo **Usar el puerto siguiente**, seleccione el puerto de la impresora. La mayoría de usuarios

utiliza **LPT1**, como se indica en la figura 8.17. Haga clic en **Siguiente**.

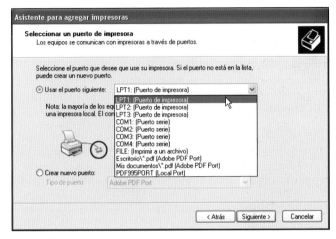

Figura 8.17.
La mayoría de usuarios selecciona LPT1.

6. Si desea instalar un controlador actualizado, haga clic en el botón **Utilizar disco** e indique la carpeta en la que haya descargado el archivo o el CD, o disquete en el que Windows puede encontrar el controlador (véase la figura 8.18). Si desea volver a instalar el controlador existente, seleccione la marca y el modelo de la impresora, y haga clic en **Siguiente**.

7. Si va a reinstalar un controlador existente, seleccione **Reemplazar el controlador existente** (véase la figura 8.19) y pulse **Siguiente**.

8. Seleccione **Sí** si desea convertir a esta impresora en la predeterminada (véase la figura 8.20). Si sólo tiene una impresora, seleccione **Sí**.

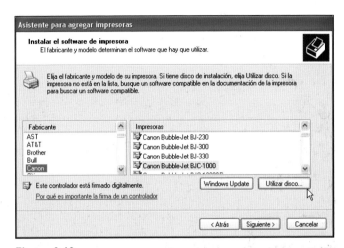

Figura 8.18.
Haga clic en el botón Utilizar disco.

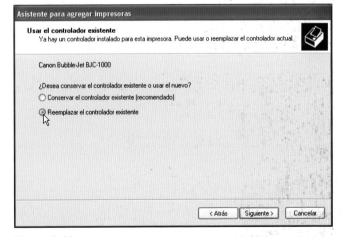

Figura 8.19.
Seleccione Reemplazar controlador existente.

9. Imprima una página de prueba para confirmar que el controlador está bien configurado (véase la figura 8.21). Haga clic en **Siguiente**.

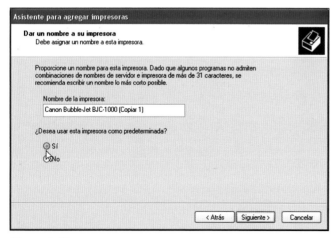

Figura 8.20.

Seleccione Sí si desea convertir a la impresora en la predeterminada.

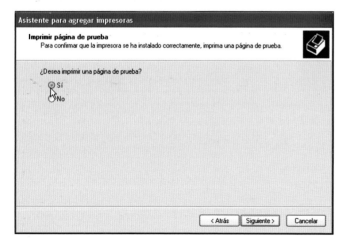

Figura 8.21.

Imprima una página de prueba.

CÓMO FUNCIONAN LAS IMPRESORAS LÁSER

En lugar de lanzar tinta como las impresoras de chorro de tinta, las impresoras láser imprimen un fino polvo, llamado toner, en la superficie del papel a una elevada temperatura. Cuando el papel se desplaza por la impresora, queda sujeto entre un rodillo y un cilindro. El cilindro o tambor fotoreceptor, deposita el toner en el papel y realiza la imagen impresa. Tras ello, el papel pasa por dos cilindros más, uno de los cuales está caliente. Éste, denominado fusor, funde las partículas de toner y las imprime de manera permanente en el papel.

Se preguntará qué tiene que ver un láser en este proceso. Para que el toner se fije al tambor y poder depositarlo en el papel, la superficie del tambor pasa por un pequeño cable o rodillo, denominado cable corona o rodillo de carga, que añade una carga eléctrica a la superficie del tambor. Un pequeño rayo láser se proyecta sobre la superficie del tambor y elimina la carga eléctrica de todos los puntos de éste en los que se va a depositar el toner. Tras ello, el tambor gira por el depósito de toner, que se ha cargado eléctricamente, y fija los puntos indicados por el láser. El papel, que se ha cargado eléctricamente por un segundo cable (el cable de transferencia) obtiene el toner del tambor y lo deposita en el papel.

AJUSTAR LA CONFIGURACIÓN DE LA IMPRESORA

En Windows XP, podemos controlar parámetros de la impresora como el tamaño del papel, la limpieza automática de los cabezales y demás desde la pantalla de propiedades de la impresora. Cada impresora ofrece distintas opciones y cuenta con diferentes características por lo que el aspecto de la pantalla Propiedades puede variar de un modelo a otro. Para abrir esta pantalla, ejecute los comandos Inicio>Panel de control>Impresoras y otro hardware> Impresoras y faxes. Haga clic sobre el icono de su impresora y, tras ello, en la parte inferior del menú Tareas de impresión, seleccione Configurar propiedades de impresión.

Aumentar la velocidad de una impresora

Si su impresora no parece imprimir tan rápido como debiera, no se preocupe; pocos productos cumplen las ofertas del mercado. No obstante, si su funcionamiento es demasiado lento, puede probar con estas sugerencias:

1. Desactive la cola de impresión. Al hacer clic en el botón **Imprimir**, Windows XP crea un archivo de cola en el que se construye el trabajo de impresión y se envía a la impresora. De esta forma podemos volver al procesador de texto o al programa desde el que hayamos iniciado la impresión. Podemos acelerar la velocidad de impresión si indicamos a Windows XP que envíe el trabajo directamente a la impresora, aunque de esta forma no podremos usar el procesador de texto o el programa hasta que finalice la impresión. Abra la pantalla de propiedades de su impresora y seleccione la ficha **Opciones avanzadas**. Cambie el parámetro **Imprimir utilizando la cola para que el programa termine más rápido** por **Imprimir directamente en la impresora** (véase la figura 8.22).

2. Configure su impresora para que sólo imprima en blanco y negro. Si no necesita impresión en color ni la utiliza frecuentemente, de esta forma aumentará la velocidad de los trabajos de impresión. Para ello, abra la ventana de propiedades y, en la ficha **General**, seleccione **Preferencias de impresión** (véase la figura 8.23).

3. Busque en la ficha **Color** o en otra similar, un parámetro que desactive la impresión en color. Suele tener el nombre de escala de grises (véase la figura 8.24).

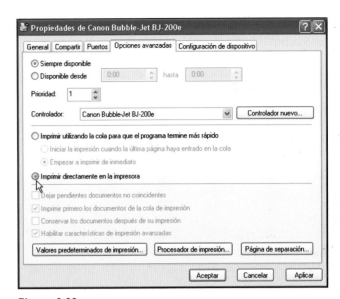

Figura 8.22.
Puede aumentar la velocidad si imprime directamente en la impresora.

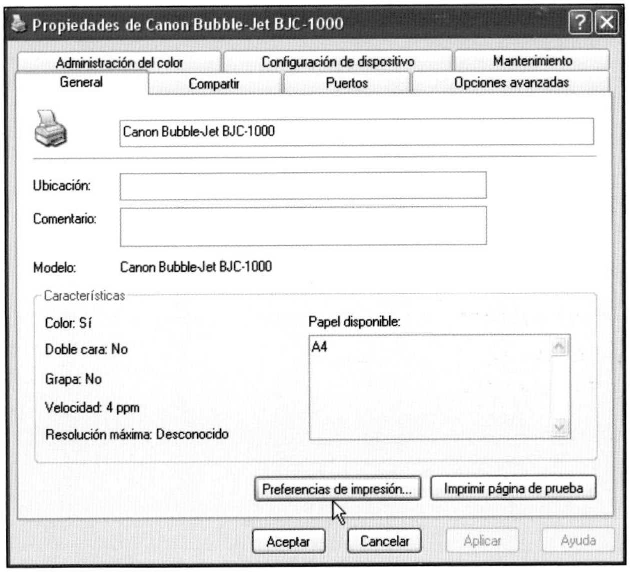

Figura 8.23.
Abra Preferencias de impresión y seleccione la ficha Color.

Figura 8.24.
Al configurar una impresora para que imprima en blanco y negro aumenta la velocidad.

4. El ordenador necesita espacio libre para almacenar datos mientras imprime. Asegúrese de disponer de al menos 100 MB libres.

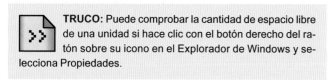

TRUCO: Puede comprobar la cantidad de espacio libre de una unidad si hace clic con el botón derecho del ratón sobre su icono en el Explorador de Windows y selecciona Propiedades.

5. Imprima en modo borrador, ya que se ahorrará tiempo y dinero en tinta. La mayor parte de los controladores cuentan con un parámetro de calidad de impresión en la sección de preferencias (véase la figura 8.25).

6. Si la impresora utiliza una conexión de puerto paralelo, compruebe que ha habilitado ECP en el programa de configuración de la BIOS, como mencionamos en un capítulo anterior.

Figura 8.25.
Si reduce la calidad o la resolución de un trabajo de impresión aumentará su velocidad.

Reparar y evitar atascos de papel

A continuación le indicamos cómo solucionar los atascos del papel y evitarlos en futuras ocasiones:

1. Tire del papel atascado en la dirección en que normalmente se mueve. Busque y elimine los posibles fragmentos atascados. En un apartado posterior encontrará más información sobre cómo limpiar una impresora.

2. Utilice el tipo de papel correcto para su impresora. Algunas no admiten papel demasiado grueso. También debe comprobar la alineación; asegúrese de

que el papel está correctamente apilado en la bandeja. No acumule demasiado papel en la bandeja.

3. En ambientes húmedos, el papel se puede impregnar de humedad y quedarse atascado. Almacene su papel de impresión en un compartimento sellado. Puede utilizar envases de cocina para ello.

4. Al introducir una resma de papel en la bandeja, no sople para separar los folios, ya que puede añadir una carga eléctrica al papel y hacer que se atasque. En lugar de esto, coja los folios por las esquinas y gírelos de forma conjunta; de esta forma separarás las hojas sin generar electricidad estática.

5. Mantenga limpia la impresora. Los mecanismos internos se suelen atascar con facilidad y fragmentos de papel pueden quedar alojados en el interior del dispositivo. Si ha probado todas las soluciones pero el papel se sigue atascando, abra la impresora y busque fragmentos de papel u otros residuos en los rodillos o en otros componentes.

La impresora no imprime

Enciende la impresora, introduce los folios, haga clic en el botón **Imprimir** pero no pasa nada. Siga los pasos descritos a continuación:

1. Compruebe lo evidente: si se ha acabado la tinta o el toner, si la impresora recibe energía, si todos los cables están bien sujetos. Si se trata de una impresora láser, compruebe que está en modo en línea.

TRUCO: Algunas impresoras láser cuentan con un interruptor en la parte frontal que permite activar y desactivar el modo en línea.

2. Compruebe si hay otros trabajos de impresión activos. Seleccione Inicio>Panel de control> Impresoras y demás hardware>Impresoras y faxes. Haga doble clic en el icono de su impresora para abrir la ventana de documentos y eliminar los trabajos de impresión pendientes por medio de la opción Cancelar todos los documentos del menú desplegable Impresora (véase la figura 8.26).

3. Intente imprimir una página de prueba desde la impresora, no desde Windows XP. La mayoría de impresoras cuenta con una función de prueba incorporada que se activa al mantener pulsados uno o varios botones al iniciar la impresora. En el manual de usuario encontrará instrucciones al respecto. Si la página se imprime correctamente, el problema debe estar en la conexión o con el software del ordenador.

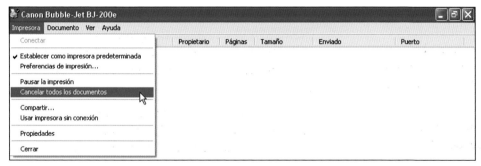

Figura 8.26.
Elimine los trabajos de impresión pendientes en la ventana de documentos.

4. Compruebe la conexión paralela o USB de la impresora, como comentamos en un apartado anterior.

5. Intente imprimir algo sencillo desde el Bloc de notas de Windows. Abra el Bloc de notas por medio de los comandos Inicio>Todos los programas>Accesorios>Bloc de notas. Escriba varias líneas de texto en un documento y pruebe a imprimirlo. Si lo consigue, el problema se encuentra en el software desde el que haya intentado realizar la impresión.

6. Pruebe a imprimir con un controlador genérico de Windows XP. Abra y ejecute el Asistente para agregar impresoras (como mencionamos en un apartado anterior). Al llegar a la pantalla Instalar el software de impresora, seleccione Genérica en el grupo Fabricante y Generic/Text only en el grupo Impresoras (véase la figura 8.27).

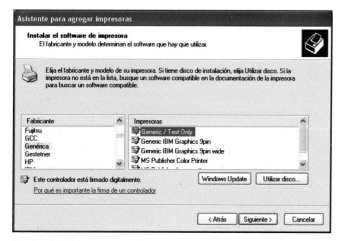

Figura 8.27.
Pruebe su impresora con la instalación de un controlador de impresora genérico.

7. Seleccione No para la pregunta ¿Desea usar esta impresora como predeterminada?, como se indica en la figura 8.28.

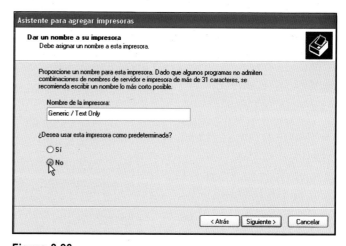

Figura 8.28.
No instale este controlador como impresora predeterminada.

8. Cuando en la siguiente pantalla, Windows le pregunte si desea instalar una página de prueba, seleccione Sí (véase la figura 8.29). Si la página se imprime correctamente, el problema se encuentra en el controlador instalado que tendrá que actualizar o volver a instalar, como mencionamos en un apartado anterior.

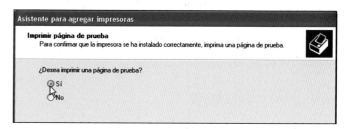

Figura 8.29.
Indique a Windows que desea imprimir una página de prueba.

Limpiar impresoras de chorro de tinta

Las impresoras de chorro de tinta son famosas por obstruir las boquillas, lo que afecta al resultado impreso. Suele pasar cuando la impresora no se utiliza con demasiada frecuencia; la tinta se seca dentro de las boquillas y se bloquea el flujo de tinta. Afortunadamente, el cabezal y las boquillas de la mayoría de impresoras se pueden limpiar.

 ADVERTENCIA: Consulte el manual de instrucciones de su impresora sobre los cuidados de limpieza. Los procedimientos que realizar pueden variar de un modelo a otro.

Ejecutar el programa de limpieza automática

1. La mayor parte de las impresoras de chorro de tinta cuentan con un programa de limpieza automática que mantiene el flujo de tinta por las boquillas hasta el cabezal. Algunas impresoras utilizan un programa independiente mientras que otras lo ejecutan desde la pantalla de propiedades.

2. Abra la pantalla de propiedades de su impresora y busque una ficha **Mantenimiento** o similar. Si no la encuentra, busque en la ficha **General** de **Preferencias de impresión**. En la figura 8.30 puede ver la ficha **Mantenimiento** de una impresora Cannon Bubble Jet BJC-1000.

 TRUCO: Ejecute el programa de limpieza las veces que sean necesarias. Puede tenga que ejecutarlo cinco o seis veces para limpiar boquillas en mal estado. Imprima una o dos páginas en cada ciclo.

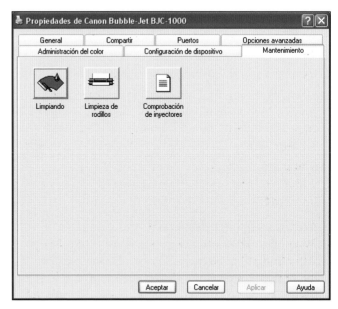

Figura 8.30.
Puede limpiar las boquillas de su impresora con el programa de limpieza.

Limpiar manualmente el cabezal

1. Apague la impresora y desenchúfela.

2. Algunas impresoras incluyen el cabezal como parte del cartucho de tinta, lo que significa que obtendrá una pieza nueva cada vez que cambie de cartucho. En otras, el cabezal es una pieza fija de la impresora, y para acceder a las boquillas tendrá que desmontar algún componente. Consulte el manual de usuario de su impresora.

3. Limpie las boquillas con un bastoncillo de algodón impregnado en isopropanol. Puede que tenga que humedecerlos para desprender la tinta seca.

> **ADVERTENCIA:** Algunos fabricantes desaconsejan la limpieza manual ya que puede dañar la impresora pero en muchos modelos de bajo precio la sustitución de un cabezal atascado puede costar tanto como una nueva impresora, por lo que no tiene tanto que perder.

> **ADVERTENCIA:** Evite derramar alcohol en el interior de la impresora, ya que puede dañar los componentes para siempre.

Limpiar impresoras láser

En una impresora láser, los fragmentos de papel u otros residuos pueden provocar que los folios se atasquen y una mala calidad de la impresión. Siga los pasos descritos a continuación para limpiar su impresora láser:

1. En primer lugar, apague la impresora y luego desenchúfela.

> **ADVERTENCIA:** Las impresoras láser funcionan a temperaturas muy elevadas. No abra ni toque el interior de una impresora láser sin apagarla primero y esperar unos minutos a que se enfríe.

2. Consulte en el manual de instrucciones las advertencias e indicaciones sobre cómo limpiar la impresora.

3. Extraiga el cartucho de toner y guárdelo en una bolsa de papel.

4. Elimine los restos de papel y demás residuos que puedan bloquear la impresora. Puede utilizar unas pinzas y un bote de aire comprimido. Utilice un paño para eliminar el toner acumulado en las superficies interiores.

Mejorar el aspecto de las impresiones

Si el aspecto de sus documentos, fotografías o imágenes impresas no es el correcto, en las tablas 8.1 y 8.2 encontrará distintos problemas habituales en impresoras de tinta y láser.

Siga los pasos descritos a continuación para solucionar la aparición de manchas, líneas, texto borroso y demás problemas de impresión:

1. Familiarícese con el menú de propiedades de su impresora. Los modelos actuales incorporan numerosos controles para ajustar el aspecto de la imagen impresa.

2. Repase los aspectos básicos. Compruebe si ha instalado el controlador correcto y que ha seleccionado el tamaño de papel y la calidad de impresión adecuados. Si su impresora imprime pero sólo devuelve una página en blanco, compruebe la tinta o el toner, y vuelva a instalar el controlador. Consulte un apartado anterior.

3. Use la tinta o el toner adecuados. Algunos cartuchos de terceros pueden ser más baratos pero también de menor calidad. Pruebe con distintas marcas hasta encontrar la que mejor funcione con su impresora.

4. La mayor parte de las impresoras funcionan mejor con determinados tipos de papel, sobre todo las de inyección de tinta. Consulte las recomendaciones realizadas en el manual de usuario.

5. Si la impresora sólo imprime partes de las imágenes, puede que la impresora o el ordenador no cuente con memoria suficiente para almacenar la imagen completa. Añada más memoria o compruebe si en la pantalla de propiedades se incluye una opción para reducir la memoria de impresión.

Tabla 8.1.
Problemas habituales de las impresoras de chorro de tinta.

Problema	Origen	Solución
Imágenes granulosas, dobladas o con mal aspecto.	Cabezal de impresión alineado incorrectamente.	Ejecute la utilidad de alineación del cabezal.
Texto fragmentado o franjas blancas en imágenes y texto.	Cartucho de tinta defectuoso.	Sustituya el cartucho.
Impresión borrosa u ondulada.	Boquillas obstruidas.	Ejecute la utilidad de limpieza de las boquillas.

Tabla 8.2.
Problemas habituales de las impresoras láser.

Problema	Origen	Solución
Impresión clara o densidad de impresión variable en la página.	Falta de toner.	Extraiga el cartucho y golpéelo suavemente para distribuir el toner.
Pequeños puntos blancos.	El toner no se fija al papel correctamente. Puede que éste sea demasiado grueso o que esté húmedo.	Pruebe con otro tipo de papel.
Una línea negra vertical en el borde de la página.	Cartucho vacío o defectuoso. Puede que se haya derramado toner dentro de la impresora.	Cambie el cartucho.
Una página totalmente negra.	El cable corona es defectuoso o está roto.	Extraiga y sustituya el cartucho para limpiar los contactos eléctricos. Si con esto no funciona, cambie el cartucho.
Una página totalmente en blanco.	Falta de toner o cable de transferencia defectuoso.	Compruebe el toner. Puede que necesite reparar la impresora.
Márgenes descolocados, separaciones irregulares o alineación incorrecta del texto.	Ha intentado imprimir una imagen o un documento que supera los límites de impresión.	Revise la configuración de la página en las propiedades de la impresora.
Sólo se imprimen partes de una imagen.	Memoria insuficiente.	Añada más memoria o reduzca a resolución de impresión.

Cámaras digitales

Si no puede conseguir que Windows XP se conecte a su cámara digital siga los pasos descritos a continuación:

1. Compruebe que la cámara recibe energía. Algunas pilas se acaban antes de que finalice la descarga de todas las imágenes de la cámara.

2. Compruebe la configuración de la cámara, ya que en algunas es necesario habilitar un modo especial para descargar imágenes.

3. No utilice concentradores USB. Algunas cámaras son un tanto especiales y sólo se comunican con Windows XP si se conectan directamente al ordenador.

4. Ignore el software de la cámara. Algunos fabricantes ponen mucho más empeño en el diseño de la cámara que en el del software que controla las descargas. Windows reconoce la mayoría de las cámaras como si fueran discos duros u otro dispositivo de almacenamiento. Puede descargar archivos de imagen de la misma forma que si transfiriera un archivo de un punto a otro de su ordenador. Seleccione **Inicio>Mi PC** y haga doble clic sobre el icono de su cámara para ver los archivos que incluye.

5. Si prefiere ver las imágenes mientras se encuentran en la cámara y decidir cuáles descargar, utilice el **Asistente para escáneres y cámaras** de Windows XP, y seleccione **Obtener imágenes** (véase la figura 8.31). En la pantalla de bienvenida, pulse **Siguiente**.

6. Seleccione las imágenes que desee descargar y haga clic en **Siguiente** (véase la figura 8.32).

7. Asigne un nombre a la descarga e indique a Windows dónde desea almacenar los archivos (véase la figura 8.33). Pulse **Siguiente**. Windows descargará los archivos al ordenador (véase la figura 8.34).

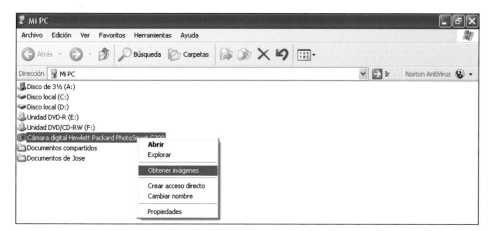

Figura 8.31.
Haga clic sobre el icono de su cámara en Mi PC y seleccione Obtener imágenes.

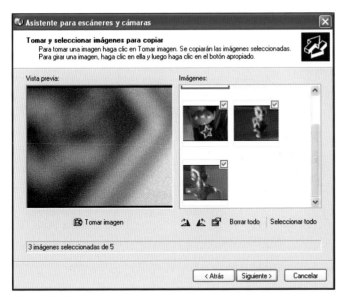

Figura 8.32.
Seleccione las fotografías que desee descargar.

Figura 8.34.
Windows descargará los archivos.

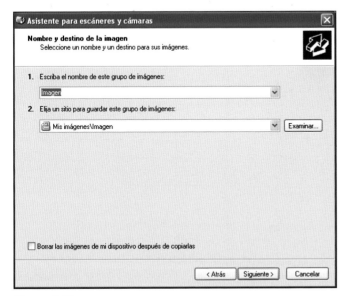

Figura 8.33.
Indique a Windows dónde descargar las imágenes.

Actualizar el PC

> Capítulo 9. **Actualizar el PC**

La actualización de los componentes de un ordenador puede ser una forma eficaz de ampliar la vida de un PC en horas bajas. En la mayoría de los casos, la instalación de nuevos componentes no es complicada; basta con enchufar y desenchufar distintos elementos, y en ocasiones, quitar y cambiar unos cuantos tornillos.

ACTUALIZACIONES BÁSICAS

Antes de salir disparado a la tienda y comprar más memoria, un nuevo disco duro o un monitor más moderno, piense primero en qué desea hacer. Debe preguntarse qué desea actualizar y cuál es la mejor forma de llevarlo a cabo.

Cuándo actualizar

Las actualizaciones más eficaces consiguen objetivos concretos: si necesita más espacio de almacenamiento, añada un disco duro; si desea copiar CD de música, instale una unidad CD-RW y si quiere aumentar el rendimiento del PC, use más memoria. En la tabla 9.1 se enumeran algunos de los motivos más habituales para actualizar un PC y las formas más indicadas de conseguir el resultado deseado.

Tabla 9.1.
Por qué actualizar.

Si desea	La mejor actualización será
Mayor rendimiento mientras usa procesadores de texto, correo electrónico y tareas básicas domésticas o de oficina.	Añada más memoria RAM. Si ya cuenta con más de 256 MB instalados, puede que necesite un nuevo PC.
Acceso a Internet más rápido.	Actualice su conexión a Internet; la velocidad de descarga no depende del hardware de su ordenador.
Jugar a juegos modernos.	Instale una buena tarjeta gráfica con gran cantidad de RAM propia.
Trabajar con vídeo digital, animaciones o archivos de imagen de gran tamaño.	Obtenga una tarjeta gráfica de última generación con la mayor cantidad de RAM posible. Si su CPU es inferior a un Pentium 4 o Athlon Thunderbird, piense en comprar un nuevo equipo.
Almacenar imágenes, vídeo o archivos de música.	Un disco duro adicional no es caro, pero para almacenamiento a largo plazo puede que le convenga una unidad óptica.

Pero debe invertir con prudencia; si gasta más de 200 euros en una mejora que no pueda aprovechar en su siguiente equipo, como por ejemplo memoria adicional o un disco duro interno, puede que no merezca la pena si tiene en cuenta que un PC nuevo puede costarle menos de 600 euros. Baraje todas las posibilidades: la adquisición de un disco duro externo o de una unidad de DVD, por ejemplo, puede ser más costosa pero, a largo plazo, ahorrará dinero, ya que puede utilizar estos componentes en otros equipos.

Qué actualizar

- **Memoria:** Si lo que busca es aumentar el rendimiento de su PC, la instalación de más memoria RAM es lo más productivo. La presencia de memoria adicional no hace que la CP funcione a más velocidad pero sí minimiza la cantidad de datos que debe almacenar y recuperar del disco duro durante operaciones normales. Si ejecuta Windows XP con menos de 128 MB de RAM y trabaja con varios programas al mismo tiempo, la instalación de nueva memoria mejorará el tiempo de respuesta de su ordenador.

- **Discos duros y unidades ópticas:** Si necesita más espacio de almacenamiento, los discos duros le ofrecen el precio más barato por MB pero para el almacenamiento a largo plazo de imágenes, archivos, canciones y demás, una unidad de CD-ROM o DVD regrabable probablemente sea la mejor opción.

- **Tarjeta gráfica:** Si disfruta con los juegos o trabaja con vídeo digital, su primera prioridad debería ser la mejor tarjeta gráfica que pueda permitirse. Sin embargo, para la mayoría de tareas informáticas, la instalación de una tarjeta gráfica de última generación tiene un escaso valor.

- **Tarjeta de sonido:** La mayor parte de los ordenadores incorpora funciones de sonido perfectamente adecuadas para el usuario medio, pero si es un fanático de la música o desea trabajar con archivos de sonido, una tarjeta de sonido de calidad superior le será imprescindible.

- **Placa base y CPU:** A menos que sea un experto informático, la actualización de su placa base o de su CPU probablemente sea demasiado compleja y demasiado cara para merecer la pena. La actualización de una placa base suele implicar la adquisición de una nueva CPU y más memoria RAM, inversión que resultaría más productiva si comprara un nuevo ordenador.

AÑADIR UN NUEVO DISCO DURO

En las tiendas de informática encontrará una extensa variedad de discos duros internos. Infórmese sobre las combinaciones de precio y capacidad que mejor se adecuen a sus necesidades. También conviene consultar los términos de devolución del fabricante antes de comprar el componente: en ocasiones los discos duros pueden fallar en las primeras horas de funcionamiento.

Preparar la instalación de un nuevo disco duro

La instalación de un disco duro requiere cierta preparación:

* **¿Desea sustituir su antiguo disco duro o instalar un segundo disco duro?:** Si desea instalar un disco duro adicional, compruebe si dispone de un canal EIDE abierto en su ordenador. La mayoría de equipos cuenta con dos canales EIDE, y cada uno admite dos dispositivos en un mismo cable EIDE. Si cada cable tiene dos dispositivos conectados, tendrá que desconectar uno de ellos para poder añadir el nuevo disco duro. Asegúrese también de que dispone de una bahía abierta a la que conectar la unidad.

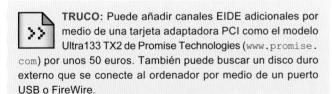

TRUCO: Puede añadir canales EIDE adicionales por medio de una tarjeta adaptadora PCI como el modelo Ultra133 TX2 de Promise Technologies (www.promise. com) por unos 50 euros. También puede buscar un disco duro externo que se conecte al ordenador por medio de un puerto USB o FireWire.

* **¿Qué desea hacer con Windows XP?:** Si va a cambiar su antiguo disco duro por uno nuevo, tiene dos opciones: reinstalar Windows XP y todo el software en el nuevo disco duro o copiar la instalación existente de Windows XP y demás aplicaciones del disco duro existente al nuevo. La operación de copiar la instalación existente puede ahorrarle tiempo pero para ello necesitará un programa como Norton Ghost (www.symantec.com), como se indica en la figura 9.1.

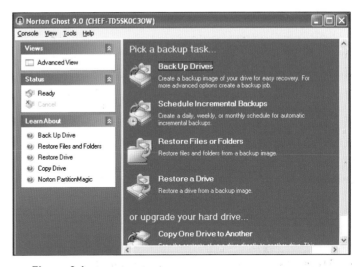

Figura 9.1.
Un programa de creación de imágenes de disco como Norton Ghost facilita la operación de copiar un disco duro.

Por otra parte, la reinstalación de todos su programas puede resultar más molesta pero también le ofrece un nuevo punto de partida sin virus, programas espías o archivos dañados, como se recoge en la tabla 9.2.

NOTA: Si desea añadir un segundo disco duro a su sistema, no tendrá que instalar Windows XP; puede usar el segundo disco para tareas de almacenamiento. Sin embargo, recuerde que todos los discos acaban por fallar y que es aconsejable instalar Windows XP en el disco duro más nuevo.

* **Configure su disco duro como principal o como esclavo:** Debe configurar correctamente el disco duro para que funcione en el cable EIDE. Encontrará más información al respecto en el siguiente apartado.

Tabla 9.2.

Dónde instalar Windows.

Qué puede hacer	Por qué	Qué necesita
Copiar Windows XP y todos los programas al nuevo disco duro.	Es más sencillo que reinstalarlo todo.	Un programa de instalación incorporado en su disco duro o en un programa de creación de imágenes como Norton Ghost. Espacio de disco suficiente para almacenar la imagen del disco duro actual.
Reinstalar Windows XP y todos los programas de software en el nuevo disco duro.	Una nueva instalación sin virus, programas espía y demás problemas que se acumulan con el tiempo con Windows XP.	El CD-ROM de Windows XP.
Mantener Windows XP y todos los programas en el disco duro antiguo y utilizar el nuevo como medio de almacenamiento.	La operación más sencilla; basta con instalar el disco duro y listo.	Una copa de buen vino.

CONFIGURAR LOS JUMPER

Antes de instalar un disco duro o una unidad óptica en su ordenador tendrá que configurar los jumper de la unidad como principal o esclavo. Un jumper es un pequeño fragmento de plástico que se introduce sobre la parte trasera del disco duro:

1. ¿Principal o esclavo? Cada cable EIDE admite un dispositivo como principal y otro como esclavo. Por ejemplo, si desea añadir una unidad a un cable EIDE con una unidad de CD-ROM ya configurada como principal, tendrá que configurar el disco duro como esclavo. Algunas unidades cuentan con una configuración de jumper diferente correspondiente a una sola unidad en el mismo cable.

2. Compruebe la disposición de los cables. La mayoría de los discos duros y algunas unidades ópticas incluyen un diagrama impreso en la parte posterior de la unidad en el que se representa la disposición de los jumper. En caso contrario, compruebe el manual de usuario u otra documentación.

3. En caso de que sea necesario, modifique la posición del jumper. Puede desprender este elemento manualmente pero le resultará mucho más sencillo si usa unas pinzas como las mostradas en la imagen.

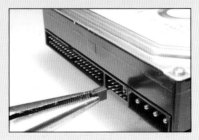

Instalar el disco duro

1. Abra la carcasa del ordenador como comentamos en un capítulo anterior. Si va a cambiar su disco duro, desconecte los cables de alimentación e EIDE de la parte posterior del mismo.

   Guarde los tornillos en un recipiente para no perderlos mientras trabaja con el ordenador.

2. Extraiga los tornillos que sujetan el disco duro al chasis del ordenador y retire la unidad (véase la figura 9.2).

Figura 9.2.
Extraiga los tornillos que sujetan el disco duro.

> **TRUCO:** Si no va a cambiar el disco duro antiguo, compruebe que el nuevo incluye los tornillos necesarios. En caso contrario, podrá encontrarlos en cualquier tienda de informática.

3. Introduzca el nuevo disco duro en el ordenador y sujételo al chasis con los tornillos.

4. Vuelva a conectar el cable de alimentación a la parte trasera del disco duro (véase la figura 9.3).

5. Conecte el cable EIDE a la parte trasera del nuevo disco duro. Si la unidad incorpora un cable EIDE, utilícelo en lugar del cable anterior; los discos duros actuales, de mayor rapidez, sólo alcanzan la máxima velocidad si se conectan con los nuevos cables EIDE 80.

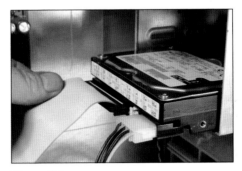

Figura 9.3.
Conecte el cable de alimentación y el cable EIDE a la parte trasera del disco duro.

6. No cierre la carcasa del ordenador hasta que haya configurado correctamente el disco duro y compruebe que funciona a la perfección.

Instalar una unidad SATA

Los discos duros que utilizan conectores SATA constituyen la próxima generación tecnológica y, en los próximos años, sustituirán a los modelos que utilizan conectores EIDE. Los discos duros SATA tienen el mismo tamaño y la misma forma que los modelos EIDE que se instalan de la misma forma pero con una pequeña diferencia: el puerto SATA se conecta al disco duro SATA, por lo que no es necesario cambiar la configuración a principal o secundario.

Para utilizar un disco duro SATA, su ordenador debe ser lo suficientemente actual como para incluir un puerto SATA en la placa base o un adaptador SATA en una ranura PCI. Si su equipo tiene menos de un año, consulte el manual de usuario; puede que ya tenga un puerto SATA además de los puertos EIDE estándar. Para instalar una unidad SATA, siga las instrucciones proporcionadas para las unidades EIDE pero ignore los pasos sobre la disposición de los jumper y la configuración de principal o esclavo.

 TRUCO: Si no dispone de un conector de energía libre en su ordenador, puede utilizar un conector Y que convierte cualquier conector de energía en dos.

! **ADVERTENCIA:** Los conectores de muchos cables EIDE tienen un pequeño borde elevado para evitar que se conecte en la orientación equivocada. Si su cable no incluye este pequeño borde y no está seguro de en qué dirección debe conectarlo, busque una franja roja en el borde del cable; se trata del extremo Pin 1 del conector y es el que debe conectar al extremo Pin 1 del disco duro. La parte Pin 1 del conector del disco duro suele ser la parte más próxima a la conexión de alimentación pero le aconsejamos que consulte el manual de usuario para comprobarlo.

Realizar particiones y formatear el nuevo disco duro

Una vez instalado correctamente el disco duro, tendrá que realizar particiones y formatearlo, como mencionamos en un capítulo anterior.

1. Muchos discos duros incorporan software de instalación que realiza las particiones y el formateo de forma automática, y que le guía por el proceso de copiar los contenidos del disco duro existente al nuevo. Las instrucciones suelen variar pero, por lo general, es necesario iniciar el ordenador desde un disquete o CD-ROM. Siga las instrucciones proporcionadas junto a su disco duro.

2. Si el nuevo disco duro no incluye un programa de instalación, puede hacerlo manualmente sin apenas dificultad.

3. Inicie Windows XP y abra la consola de administración de discos desde Inicio. Haga clic con el botón derecho del ratón sobre Mi PC y seleccione Administrar.

4. En ocasiones, Windows XP reconoce el nuevo disco e inicia automáticamente el Asistente para inicializar discos. De ser así, haga clic dos veces en **Siguiente** para pasar a la pantalla de selección del disco o discos que inicializar, y marque la casilla Disco X, donde **X** es el número de disco de su unidad indicado en la barra de administración de discos. (Por lo general sólo hay un disco seleccionado en esta pantalla.) Pulse **Siguiente** y, tras ello, haga clic en **Finalizar**.

5. Si el asistente no se inicia de forma automática, puede hacerlo manualmente. Haga clic con el botón derecho del ratón sobre la barra inferior en administración de discos y seleccione Inicializar disco.

 NOTA: Si desea volver a instalar Windows XP en la nueva unidad, la reinstalación de Windows se encargará de configurar la nueva unidad.

6. De esta forma se puede iniciar el asistente o abrir la pantalla Inicializar disco. Si se abre esta pantalla, confirme que el disco está seleccionado y pulse **Aceptar**.

Una vez inicializado el nuevo disco duro, fíjese en la barra situada en la parte inferior derecha de la pantalla administración de discos; representa la nueva unidad y debería indicar el tamaño del disco duro, junto con la entrada **No asignado**. A continuación, crearemos una partición y formatearemos el disco.

1. Haga clic con el botón derecho del ratón sobre la barra que representa el nuevo disco duro y seleccione **Partición nueva** (véase la figura 9.4).

2. Se abrirá el **Asistente para partición nueva**. En la pantalla inicial, haga clic en **Siguiente**.

3. Seleccione **Partición primaria** y pulse **Siguiente** (véase la figura 9.5).

Figura 9.5.
Seleccione Partición primaria.

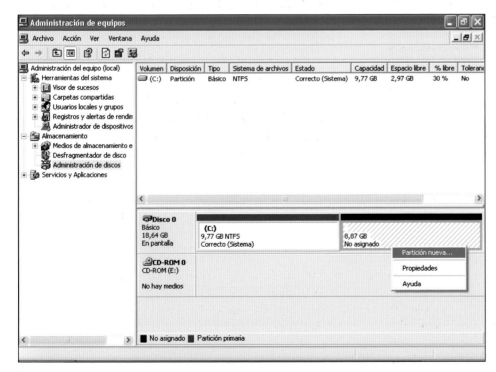

Figura 9.4.
Haga clic con el botón derecho del ratón sobre la barra y seleccione Partición nueva.

4. Especifique el tamaño de la partición. La opción más sencilla consiste en hacer clic en **Siguiente** para que utilice toda la unidad como una sola partición de gran tamaño (véase la figura 9.6).

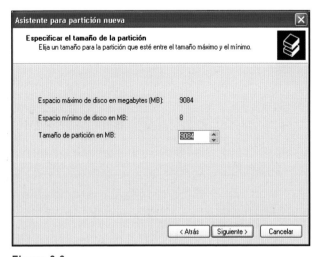

Figura 9.6.
Especifique el tamaño de la partición.

5. Si desea asignar una letra de unidad concreta a la nueva unidad, seleccione la letra en el menú desplegable. En caso contrario, acepte la letra que ofrece Windows y haga clic en **Siguiente** (véase la figura 9.7).

6. Seleccione **Formatear esta partición con la configuración siguiente** y, en el campo **Sistema de archivos**, seleccione el valor predeterminado, **NTFS** (véase la figura 9.8).

7. Compruebe los parámetros seleccionados y haga clic en **Finalizar** para iniciar el proceso de formateo, como se indica en la figura 9.9.

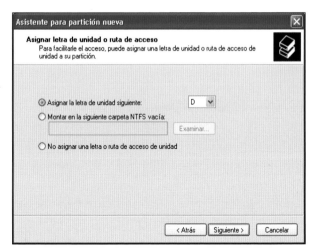

Figura 9.7.
Seleccione la letra de la unidad.

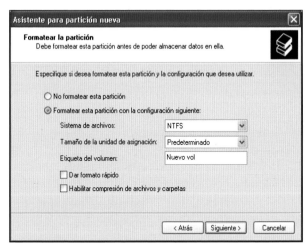

Figura 9.8.
Formatee la unidad y seleccione el sistema de archivos NTFS.

8. En **Administración de discos**, la barra del nuevo disco duro mostrará la entrada correspondiente a la nueva unidad, junto a la letra. También indicará el tamaño de la unidad e incluirá la palabra **Correcto** (véase la figura 9.10).

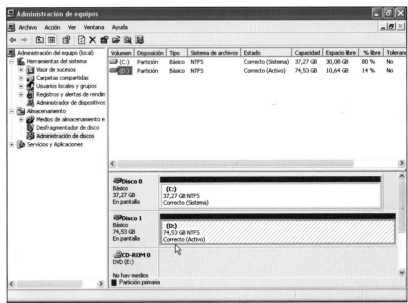

Figura 9.9.
Haga clic en Finalizar.

Figura 9.10.
Administración de discos mostrará el nuevo disco duro como Correcto.

AÑADIR MÁS MEMORIA

La instalación de más memoria es muy sencilla. La memoria RAM es un pequeño módulo el doble de largo y la mitad de ancho que una tarjeta de crédito y se introduce en el conector de la placa base. De hecho, la parte más compleja del proceso de actualización de memoria es determinar el tipo de memoria adecuado para nuestro equipo.

CUÁNTA MEMORIA RAM NECESITA

La cantidad óptima de memoria para un ordenador depende del procesador de éste, de qué programas utilice y de la tolerancia a un rendimiento lento. En nuestra opinión, cualquier equipo que use Windows XP necesita al menos 128 MB de RAM para funcionar correctamente. Si se añaden más de 128 MB de RAM se obtiene un cambio considerable en los tiempos de respuesta de Windows, sobre todo si utiliza más de una aplicación al mismo tiempo. El usuario medio probablemente deje de percibir los problemas de rendimiento con 512 MB pero todo el que trabaje con gráficos de gran tamaño o archivos multimedia debería utilizar toda la memoria que pueda permitirse.

Encontrar la RAM adecuada

- **No sea tacaño:** Compre su memoria de un proveedor fiable y adquiera la mejor marca disponible. Los escasos euros que se ahorre por comprobar RAM de oferta en su tienda de informática no merecen las horas de frustración y reparación de problemas que pueden provocar los errores relacionados con la memoria. Dos de los proveedores en línea más fiables y que podemos recomendarle son Crucial.com (`www.crucial.com`) (véase la figura 9.11) y Kingston Technologies (`www.kingston.com`).

> **TRUCO:** A menos que sea un experto informático, la apuesta más segura es recurrir a profesionales para seleccionar la RAM. Los distribuidores que acabamos de recomendarle cuentan con herramientas interactivas en sus sitios Web que le permiten determinar el tipo de RAM más adecuado.

- **De cuánta memoria dispone:** Seleccione Inicio, haga clic con el botón derecho del ratón sobre Mi PC y seleccione Propiedades. En la ficha General verá la cantidad de RAM instalada (véase la figura 9.12).

- **Qué tipo de RAM tiene:** La memoria RAM se comercializa en distintas formas definidas por multitud de siglas un tanto arcaicas. Consulte el manual de usuario de su equipo para determinar qué tipo de memoria admite su ordenador: SDRAM, DDR, RDRAM o algo similar. Para determinar otras características de la RAM instalada en su equipo, póngase en contacto con el fabricante de su ordenador.

- **Cuánta RAM puede añadir:** Consulte en el manual de usuario de su ordenador la cantidad máxima de RAM que su ordenador admite. Tras ello, abra el equipo y compruebe cuántos conectores libres tiene en la placa base (véase la figura 9.13).

Figura 9.11.

El sitio Web de Crucial.com le ayuda a buscar el tipo de memoria más indicado para su ordenador.

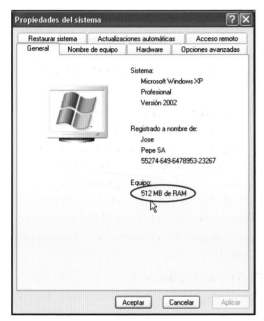

Figura 9.12.
La cantidad de RAM instalada en su ordenador se indica en la ficha General.

Figura 9.13.
Compruebe que su ordenador tiene un conector de memoria libre en la placa base.

Si todos los conectores están ocupados por módulos de RAM, la única forma de añadir más memoria consiste en sustituir (y, por tanto, desprenderse de) uno de los módulos actuales por otro de mayor capacidad.

TRUCO: Mantenga libres el mayor número de conectores RAM para futuras actualizaciones. Si puede, adquiera módulos de memoria individuales en lugar de dos módulos de menor tamaño.

Instalar los módulos de memoria RAM

La instalación de módulos RAM no es nada compleja pero requiere ciertos cuidados. Los módulos RAM son muy sensibles a la electricidad estática, por lo que debe asegurarse de que está en contacto con una toma de tierra antes de extraer los módulos de los sobres que los protegen de la electricidad estática, como mencionamos en un capítulo anterior.

1. Abra la carcasa de su PC. Siga las instrucciones de seguridad proporcionadas en un capítulo anterior.

2. Compruebe que el módulo de memoria está correctamente alineado; en la parte inferior de algunos modelos se incluye un tope que sólo encaja en una determinada orientación con la placa base (véase la figura 9.14). Abra las patillas de plástico situadas a ambos extremos del conector de la placa base.

ADVERTENCIA: Si el módulo de memoria RAM no encaja, no lo fuerce. Asegúrese de que se trata del modelo adecuado y de que está correctamente alineado.

3. Introduzca suavemente el módulo en el conector. Si lo hace correctamente, las patillas se cerrarán

cuando el módulo esté bien asentado en el conector, como se indica en la figura 9.15.

Figura 9.14.
Alinee correctamente el tope de la parte inferior del módulo de memoria con el conector de la placa base.

Figura 9.15.
Si introduce correctamente el módulo de memoria, las patillas de plástico se cerrarán automáticamente.

4. Mantenga abierta la carcasa del ordenador. Reinicie el equipo y fíjese en la pantalla; la nueva cantidad de memoria debería aparecer indicada durante el inicio. En caso contrario, compruébelo en Windows XP.

5. Si su equipo no reconoce la nueva memoria o ni siquiera se inicia, apáguelo y pruebe a encajar los módulos de nuevo.

OTRAS ACTUALIZACIONES

La instalación de otros dispositivos en su ordenador suele ser más sencilla que la de un disco duro. Por lo general, basta con conectar el dispositivo al equipo y, tras ello, instalarlo en Windows e incluso en ocasiones Windows se encarga de la instalación por nosotros.

AÑADIR DISPOSITIVOS EXTERNOS

Los discos duros, unidades de DVD y demás dispositivos que se conectan a un puerto USB o FireWire pueden ser mucho más caros que sus homólogos internos pero resultan más fáciles de instalar. El hecho de que se puedan cambiar a un nuevo ordenador también significa que la inversión es más duradera. Pero recuerde estos aspectos:

- Lea y siga las instrucciones de instalación. Algunos dispositivos deben conectarse antes de instalar los controladores, mientras que otros requieren instalar los controladores antes de que se conecte el dispositivo.

- Ubique el dispositivo en un punto en el que no se caiga ni reciba golpes, para que no sufra ningún daño.

- Compruebe la velocidad de su conexión. Los discos duros no funcionan correctamente en conexiones USB 1.1.

Añadir una unidad de CD-ROM o DVD

La instalación de una unidad de CD-ROM, DVD o cualquier otro tipo de unidad óptica debería llevarle menos de una hora y sólo necesitará un destornillador.

Antes de comprar el dispositivo

- **¿Dispone de una bahía libre?:** Mire en el interior de su PC y compruebe que cuenta con una bahía libre para la nueva unidad (véase la figura 9.16). Que haya un espacio vacío en la parte frontal del PC no significa que la bahía esté libre, ya que puede albergar un disco duro. Si no tiene espacio para una unidad óptica, tendrá que extraer la unidad actual o comprar una unidad externa que se conecte a un puerto USB o FireWire.

Figura 9.16.
Compruebe si cuenta con una bahía libre.

- **¿Cuenta con un canal EIDE libre?:** Al igual que los discos duros internos, las unidades ópticas internas se conectan a los cables EIDE del ordenador. La mayoría de ordenadores sólo admiten cuatro dispositivos, por lo debe comprobar si dispone de sitio para conectar su unidad.

- **¿Cuenta con algún conector de alimentación libre?:** En caso contrario adquiera un conector Y para convertir un conector de alimentación en dos.

Prepare su unidad

Al igual que cualquier otro dispositivo conectado a un cable EIDE, una unidad óptica cuenta con jumper que debe configurar como principal o secundario, como mencionamos en un apartado anterior.

Extraiga la tapa de plástico de la parte frontal del ordenador que oculta la bahía vacía. Puede extraer estas tapas si mantiene sujetos los extremos y empuja desde el interior o tira desde el exterior.

Conectar la unidad

1. Introduzca la unidad por la apertura frontal de la carcasa en la bahía hasta que encaje, como se indica en la figura 9.17. Ajuste los tornillos que sujetan la unidad al chasis.

Figura 9.17.
Deslice la unidad por la parte frontal del chasis.

2. Conecte el cable EIDE a la parte trasera de la unidad (véase la figura 9.18).

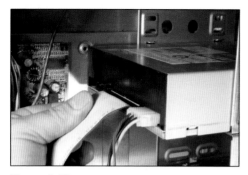

Figura 9.18.

Conecte los cables EIDE y de alimentación a la parte posterior de la unidad.

> ⚠ **ADVERTENCIA:** Si el conector del cable EIDE no tiene un borde elevado que impide conectarlo en la orientación incorrecta, tenga cuidado al conectarlo. El borde del cable EIDE con la franja roja debe coincidir con Pin 1 en el conector de la unidad óptica. Consulte la documentación de la unidad.

3. Conecte el cable de alimentación.

4. Si desea instalar un cable de CD de audio para transmitir señales de audio digital a su tarjeta de sonido, conéctelo ahora.

 NOTA: Algunas unidades ópticas envían la señal digitalmente desde un CD de audio y no necesitan cable de audio.

5. Encienda el ordenador y fíjese en la pantalla por si aparecen mensajes de error. Windows debería reconocer e instalar automáticamente la unidad. Podrá verla en el Explorador de Windows.

Añadir una nueva tarjeta gráfica

La sustitución de una tarjeta gráfica no debería llevarle más de media hora y sólo necesitará un destornillador convencional.

Antes de comprar

Antes de invertir en una nueva y moderna tarjeta gráfica, compruebe que va a funcionar en su ordenador.

1. Compruebe qué tipo de ranuras tiene su equipo. La mayoría de los ordenadores de los últimos años cuenta con una ranura AGP para conectar tarjetas gráficas. Si su ordenador no la incluye, posiblemente pueda añadir una tarjeta gráfica que utilice una ranura PCI libre (véase la figura 9.19). Algunos de los ordenadores más modernos incorporan un nuevo tipo de ranura para tarjetas gráficas denominada PCI Express. Si es su caso, necesitará una tarjeta gráfica de este tipo, ya que las tarjetas AGP no funcionarán.

Figura 9.19.

Compruebe si su ordenador dispone de una ranura AGP libre.

2. Compruebe si su ordenador admite una tarjeta gráfica. Si no ve ninguna ranura AGP en su placa

base, puede que no la admita. Para ahorrar dinero, algunos equipos integran chips gráficos en la placa base. En ocasiones, estas funciones no se pueden deshabilitar, así que no puede actualizar su tarjeta gráfica. Consulte el manual de usuario de su ordenador.

3. Compruebe si dispone de conectores de alimentación. Algunas de las nuevas tarjetas gráficas deben conectarse directamente a la fuente de alimentación. Asegúrese de que cuenta con los conectores adecuados.

Desinstalar el controlador gráfico antiguo en Windows XP

1. Desinstale todos los programas asociados a su tarjeta gráfica. En primer lugar, seleccione **Inicio> Todos los programas**, busque estos posibles programas y desinstálelos si puede.

2. En caso contrario, seleccione **Inicio>Panel de control>Agregar o quitar programas** y busque el software que desinstalar.

3. Tras ello, desinstale su tarjeta gráfica en el **Administrador de dispositivos**. Seleccione **Inicio**, haga clic con el botón derecho del ratón sobre **Mi PC** y seleccione **Propiedades**. Haga clic en el botón **Administrador de dispositivos** en la ficha **Hardware**.

4. Abra la entrada **Adaptadores de pantalla** (véase la figura 9.20), haga clic en la entrada correspondiente a su adaptador de pantalla actual y haga clic en **Desinstalar** (véase la figura 9.21). Pulse **Aceptar** y cuando el programa se lo indique, apague el ordenador.

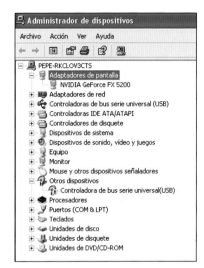

Figura 9.20.
Haga clic en Adaptadores de pantalla en el Administrador de dispositivos.

Figura 9.21.
Elimine su adaptador de pantalla haciendo clic en Desinstalar.

NOTA: Puede que su pantalla tenga un aspecto diferente con el nuevo controlador. Puede restablecer su resolución y otras preferencias de pantalla cuando haya instalado el nuevo controlador de tarjeta gráfica.

 ADVERTENCIA: Sujete el conector del monitor a la tarjeta gráfica por medio de los tornillos que incorpora; un conector incorrectamente sujeto puede dañar la tarjeta gráfica.

Instalar la tarjeta en su ordenador

1. Abra la carcasa del ordenador y siga las instrucciones de seguridad proporcionadas en un capítulo anterior.

2. Extraiga el tornillo que mantiene sujeta la tarjeta gráfica al chasis del ordenador.

3. Extraiga la tarjeta gráfica tirando de ella para sacarla de la ranura (véase la figura 9.22). No mueva la tarjeta lateralmente.

Figura 9.22.
Extraiga la tarjeta gráfica de su ordenador.

4. Introduzca la nueva tarjeta gráfica en la ranura PCI o AGP, y apriete suavemente hasta encajarla.

5. Sujete la nueva tarjeta gráfica al chasis del ordenador con ayuda del tornillo.

6. Conecte los cables de alimentación necesarios para la tarjeta gráfica.

7. Conecte su monitor al puerto de la tarjeta gráfica.

Instalar los nuevos controladores en Windows XP

Reinicie su ordenador. Windows detectará la nueva tarjeta e iniciará el **Asistente para nuevo hardware**. Consulte en el manual de usuario de su tarjeta gráfica los procedimientos que aplicar y siga las instrucciones que aparezcan en pantalla.

 TRUCO: Visite el sitio Web del fabricante de la tarjeta gráfica para buscar los controladores actualizados. Los controladores incorporados con el producto suelen estar un tanto desfasados.

AÑADIR UN NUEVO MONITOR O UNA PANTALLA PLANA

La instalación de un nuevo monitor o una pantalla plana en su ordenador es seguramente la actualización más sencilla: basta con conectar el cable de alimentación y el cable de datos a la parte trasera del ordenador y listo. No obstante, debe recordar los siguientes aspectos:

- Si va a adquirir una nueva pantalla plana, cómprela con conector DVI y conector VGA. El conector DVI digital ofrece una mejor señal y, por lo tanto, mejor calidad de imagen que la conexión VGA utilizada por los monitores CRT. Si su PC actual no cuenta con un conector DVI, adquiera una pantalla DVI ya que su próximo PC seguramente lo incluya.

- No olvide instalar el controlador del monitor en Windows XP. Al conectar el monitor por primera vez, Windows XP instala un controlador compatible para que funcione. Sin embargo, puede que no sea el más indicado para su monitor. Visite el sitio Web del fabricante del monitor para obtener el controlador más actualizado.

Añadir una nueva tarjeta de sonido

La instalación de una nueva tarjeta de sonido en su equipo debería llevarle menos de 30 minutos y sólo necesitará un destornillador.

Desinstalar el controlador de la tarjeta de sonido en Windows XP

1. Seleccione Inicio>Panel de control>Agregar o quitar programas. Localice la entrada correspondiente a su tarjeta de sonido, selecciónela y haga clic en **Cambiar o quitar**, como se indica en la figura 9.23.

2. Si no puede encontrar el controlador, abra el Administrador de dispositivos. Seleccione Inicio, haga clic con el botón derecho del ratón sobre Mi PC, seleccione Propiedades, haga clic en la ficha Hardware y pulse el botón Administrador de dispositivos.

3. Abra la entrada Dispositivos de sonido, vídeo y juegos (véase la figura 9.24). Verá distintas entradas. Una de ellas corresponde al controlador de su tarjeta de sonido. Abra cada una de las entradas; la que incluya la ficha Controlador será la correspondiente al controlador.

Debería poder desinstalarlo desde el Panel de control pero, en caso contrario, abra la ficha Controlador, haga clic en el botón **Desinstalar** (véase la figura 9.25) y siga las instrucciones que aparecen en pantalla.

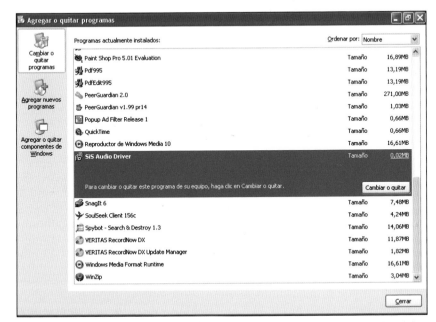

Figura 9.23.

Puede desinstalar el controlador o el software de su tarjeta de sonido en Agregar o quitar programas.

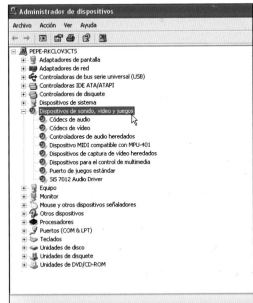

Figura 9.24.

Busque el controlador de su tarjeta de sonido en el Administrador de dispositivos.

Figura 9.25.
Haga clic en Desinstalar en la ficha Controlador.

4. Si su ordenador incluye las funciones de sonido integradas en la placa base (muchos de los modelos actuales lo hacen), tendrá que deshabilitar el audio en el programa de configuración CMOS antes de añadir una tarjeta gráfica. Consulte el manual de usuario de su ordenador o busque este parámetro en el programa de configuración CMOS, como indicamos en un capítulo anterior.

Instalar la tarjeta de sonido en el ordenador

1. Si va a instalar un procesador de sonido externo conectado al PC a través de un puerto USB, la instalación es muy sencilla; basta con conectar el adaptador al puerto USB. No obstante, si tiene una tarjeta de sonido antigua instalada en una ranura PCI, primero tendrá que extraerla.

2. Abra su ordenador. Siga las instrucciones de seguridad proporcionadas en un capítulo anterior.

3. Si ya hay una tarjeta de sonido instalada, extraiga los tornillos que la sujetan al chasis del ordenador.

4. Desconecte los cables que transmiten el sonido desde la unidad de CD-ROM a la tarjeta de sonido. El cable se conecta a la parte superior de la tarjeta, como se indica en la figura 9.26.

Figura 9.26.
Desconecte todos los cables de audio de la tarjeta de sonido.

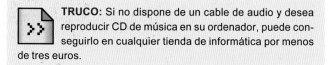

TRUCO: Si no dispone de un cable de audio y desea reproducir CD de música en su ordenador, puede conseguirlo en cualquier tienda de informática por menos de tres euros.

5. Extraiga la tarjeta de sonido tirando de ella para sacarla de la ranura. No realice movimientos laterales para forzarla.

6. Introduzca la nueva tarjeta de sonido en la ranura PCI y presione hasta encajarla correctamente.

7. Sujete la tarjeta al chasis del ordenador con ayuda del tornillo y vuelva a conectar el cable de audio.

Instalar los nuevos controladores en Windows XP

Reinicie su ordenador. Windows detectará la nueva tarjeta e iniciará el **Asistente para nuevo hardware encontrado**. Consulte los procedimientos especiales que aplicar en el manual de usuario y, tras ello, siga las instrucciones que aparecen en pantalla.

Compartir una conexión
de Internet en una red inalámbrica

10

> Capítulo 10. **Compartir una conexión de Internet en una red inalámbrica**

La conexión de más de un equipo a una misma conexión de Internet mediante una red es más sencillo que nunca. En el pasado, la configuración de una red parecía imposible. Sin embargo, con los económicos enrutadores actuales y las redes inalámbricas de sencilla configuración podemos conectar todos nuestros ordenadores a Internet y ubicarlos donde deseemos.

FUNDAMENTOS DE LAS REDES

La configuración de una red inalámbrica es muy sencilla: basta con conectar un enrutador entre la conexión de Internet y cada uno de los ordenadores utilizados.

Terminología básica

El vocabulario de las redes informáticas está repleto de arcaicos acrónimos y complejas definiciones, pero para configurar una red inalámbrica sólo tiene que conocer una serie de términos:

- **Red:** Dos o más ordenadores pueden comunicarse entre sí y compartir recursos como archivos, impresoras o una conexión a Internet. Estos equipos se pueden conectar entre sí a través de cables o mediante señales inalámbricas. Cada uno de los ordenadores de una red tiene su propia dirección IP exclusiva que lo identifica en el grupo.

Encontrará más información al respecto en un capítulo anterior.

- **Servidor:** Un programa de software que actúa como agente de tráfico de la red y dirige el flujo de archivos o datos, y vigila quién accede a cada ordenador. Un servidor se puede instalar en un ordenador o en un dispositivo de red como un enrutador. (Los técnicos informáticos suelen denominar servidor a un determinado ordenador, aunque en realidad es el software el que realiza esta función.) La mayoría de enrutadores inalámbricos incluye un tipo especial de servidor denominado servidor DHCP, que asigna automáticamente una dirección IP a todos los equipos de la red.

- **Enrutador:** Un enrutador actúa como una especie de cruce y dirige el tráfico de un ordenador a otro. Permite que varios equipos compartan una conexión de red.

- **Punto de acceso inalámbrico:** Un punto de acceso conecta todos los equipos de una red inalámbrica a una red como Internet.

- **Enrutador inalámbrico:** Un enrutador inalámbrico combina un enrutador con un punto de acceso inalámbrico y ofrece un único servicio que permite conectar la red inalámbrica a Internet (véase la figura 10.1).

- **Cliente:** En una red, un cliente es cualquier ordenador controlado por el software de servidor. Este término suele aparecer habitualmente en manuales de usuario y demás documentación.

Figura 10.1.

Un enrutador inalámbrico como éste combina las funciones de un enrutador y un punto de acceso inalámbrico.

- **Dirección MAC:** Es un identificador exclusivo de 12 dígitos incluido en todos los adaptadores de red y que suele utilizarse para identificar al

ordenador. Los enrutadores utilizan la dirección MAC para limitar el acceso de red a determinados equipos (véase la figura 10.2).

MAC Address: 00:06:25:F7:A3:F8	
IP Address:	192.168.1.1
Subnet Mask:	255.255.255.0
DHCP server:	Enabled
Start IP Address:	192.168.1.100
End IP Address:	192.168.1.149

Figura 10.2.

La dirección MAC es un identificador exclusivo para todos los ordenadores de una red.

Modalidades inalámbricas

Los productos inalámbricos se ofrecen en tres versiones del estándar 802.11 y se denominan por medio de diferentes letras: 802.11a, 802.11b y 802,11g, como se indica en la tabla 10.1.

Tabla 10.1.

Tipos inalámbricos.

Estándar inalámbrico	Alcance máximo	Frecuencia	Velocidad	Funciona con	Descripción
802.11a	De 25 a 75 metros.	5 GHZ	Hasta 54 Mbs	No disponible	Indicado para oficinas con multitud de ordenadores próximos entre sí.
802.11b	De 100 a 125 metros en interiores; hasta 300 metros en exteriores.	2.4 GHZ	Hasta 11 Mbs	802.11g	Perfectamente indicado para redes domésticas aunque empieza a ser sustituido por el nuevo estándar 802.11g, de mayor rapidez.
802.11g	De 100 a 125 metros en interiores; hasta 300 metros en exteriores.	2.4 GHZ	Hasta 54 Mbs	802.11b	La mejor opción para una red doméstica.

Los productos compatibles con 802.11a tienen un alcance limitado y no son aconsejables. La mayoría de los productos que encontrará en las tiendas y los que debe adquirir, admiten el estándar 820.11g. Los productos compatibles con el antiguo estándar 802.11b, mucho más lento, siguen disponibles pero seguramente desaparezcan en breve.

¿CON O SIN CABLES?

Las redes inalámbricas domésticas son relativamente recientes. Hasta hace unos años, los ordenadores en red se conectaban mediante cables instalados entre habitaciones y a través de las paredes para llegar a todos los equipos de la red, por lo que la configuración de una red resultaba muy costosa.

La reciente explosión de los productos de red inalámbricos basados en los estándares 802.11b y 802.11g, también denominados Wi-Fi, facilita enormemente la instalación de una red. Un enrutador inalámbrico convencional puede enviar señales dentro de un edificio de gran altura, aunque las paredes y demás obstáculos pueden reducir la distancia. En una casa o en una oficina pequeña, las redes inalámbricas son si duda la forma más sencilla de compartir una conexión a Internet entre varios equipos que no estén próximos a un módem por cable o DSL.

No obstante, si dispone de dos ordenadores próximos entre sí y cercanos al módem por cable o DSL, no necesitará una red inalámbrica. Un enrutador convencional conectado por cables de red será todo lo que necesite. Las instrucciones que proporcionemos a lo largo del capítulo también se aplican a los enrutadores convencionales.

Sin embargo, no debe olvidarse del futuro: si tiene pensado ampliar su red hasta otra habitación o trabajar desde cualquier parte con un ordenador portátil, la mejor inversión será la instalación de una red inalámbrica.

Componentes necesarios

- **Una conexión de banda ancha a Internet:** Si sus equipos van a compartir una misma conexión a Internet, conviene invertir algo más y contratar un servicio por cable o DSL. No sólo son más rápidos, sino que también permiten utilizar un enrutador inalámbrico.

- **Un enrutador inalámbrico:** Existen distintos modelos de enrutadores inalámbricos por menos de 100 euros. Consulte las ofertas de Linksys (`www.linksys.com`) o Netgear (`www.netgear.com`).

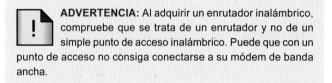

ADVERTENCIA: Al adquirir un enrutador inalámbrico, compruebe que se trata de un enrutador y no de un simple punto de acceso inalámbrico. Puede que con un punto de acceso no consiga conectarse a su módem de banda ancha.

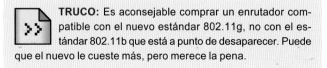

TRUCO: Es aconsejable comprar un enrutador compatible con el nuevo estándar 802.11g, no con el estándar 802.11b que está a punto de desaparecer. Puede que el nuevo le cueste más, pero merece la pena.

- **Cable de red (opcional):** Si su enrutador inalámbrico está instalado a unos metros de uno o varios equipos con un puerto Ethernet, podrá conectar estos equipos por medio del cable.

- **Adaptador de red:** Cada uno de los equipos de la red inalámbrica necesita un adaptador Ethernet inalámbrico para poder comunicarse con el enrutador:

  - **Ordenadores de escritorio:** Los adaptadores de red pueden instalarse en una ranura PCI o pueden conectarse a un puerto USB situado en la parte trasera del ordenador. Los precios oscilan entre 50 y 70 dólares para los modelos de Linksys y Netgear. Si va a conectar un equipo a un enrutador inalámbrico con un cable, el ordenador necesitará un puerto Ethernet RJ-45 estándar. Muchos ordenadores de escritorio lo incorporan de forma estándar. En caso contrario, puede adquirir un adaptador de red interno o externo por menos de 30 euros en cualquier tienda de informática.

> **NOTA:** Resulta muy útil disponer de un ordenador conectado al enrutador inalámbrico por medio de un cable, ya que permite solucionar los posibles problemas en caso de que la red inalámbrica no funcione. Además, le evitará tener que instalar un adaptador de red inalámbrica.

- **Ordenadores portátiles:** Muchos ordenadores portátiles actuales incorporan funciones de red inalámbrica y un puerto RJ-45 de forma estándar. Si no es su caso, puede adquirir un adaptador Ethernet inalámbrico e introducirlo en la ranura de tarjetas PC de su portátil.

CONFIGURAR UN ENRUTADOR

Para configurar un enrutador ya no es necesario un título en tecnologías de la información ni dedicar varias horas de trabajo. La mayoría de enrutadores dirigidos a redes domésticas siguen un sencillo proceso de configuración, incluyen la documentación necesaria y ofrecen asistencia telefónica para guiarle por el proceso de instalación, en caso de que la necesite.

Buscar el punto indicado

A la hora de configurar una red inalámbrica debe tener en cuenta tres factores principales: la ubicación, la ubicación y la ubicación. A pesar de las afirmaciones que sostienen que las redes inalámbricas pueden funcionar a varios cientos de metros dentro de un edificio, el alcance real depende de la cantidad de paredes, mobiliario y demás obstáculos situados entre el enrutador y el ordenador.

Antes de configurar su red, intente determinar el mejor y el peor punto para la señal inalámbrica.

1. Instale su enrutador en el punto en el que le gustaría ubicarlo de forma permanente y enciéndalo.

2. Inicie un ordenador portátil con una tarjeta inalámbrica y compruebe que recibe señal para el enrutador. Verá un pequeño icono de color verde en la esquina inferior derecha de su pantalla (véase la figura 10.3).

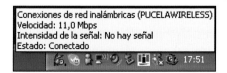

Figura 10.3.
Haga clic en el icono de red.

> **TRUCO:** Si no dispone de un ordenador portátil pero tiene un ordenador de escritorio con un adaptador inalámbrico ubicado cerca del punto en el que desea instalar el enrutador, pruebe lo siguiente: desplace el enrutador por todos los puntos que desee comprobar, conéctelo y enciéndalo. Después, vuelva al ordenador y compruebe la intensidad de la señal recibida.

3. Al hacer clic sobre el icono se abrirá la pantalla **Estado de Conexiones de red inalámbricas,** en la que se muestra la intensidad de la señal inalámbrica (véase la figura 10.4).

Figura 10.4.
Las barras de color verde indican la intensidad de la señal.

 TRUCO: La peor recepción de la señal se produce directamente por encima y por debajo del enrutador; téngalo en cuenta para casas con más de un piso.

4. Desplácese con el ordenador hasta los distintos puntos en los que desee trabajar y necesite acceso de red.

A continuación le ofrecemos distintas sugerencias para ubicar su enrutador:

• Coloque su enrutador en un punto elevado y alejado de cualquier obstáculo. Evite lugares cerrados como estanterías. Las superficies metálicas, las paredes con cables o tuberías e incluso las plantas pueden reducir considerablemente la señal.

• Si no recibe una señal adecuada, cambie el enrutador de posición. Con tan sólo desplazarlo unos metros puede apreciar una gran diferencia en la recepción de la señal. Coloque las antenas en posición vertical.

• Evite situar el enrutador junto a otros dispositivos electrónicos como microondas, teléfonos portátiles, dispositivos Bluetooh o cualquier otro componente que utilice la frecuencia 2.4 Ghz.

 TRUCO: Los teléfonos portátiles que utilizan la frecuencia 2.4 Ghz suelen provocar interferencias en redes inalámbricas. Si no puede cambiar el enrutador de posición, pruebe a cambiar la base del teléfono o compre un nuevo teléfono que funcione en una frecuencia diferente, como sucede con muchos modelos.

Conectar un enrutador inalámbrico

1. Saque el enrutador de la caja y lea atentamente las instrucciones de instalación. El proceso debe ser muy sencillo pero los pasos que seguir pueden variar de un modelo a otro.

2. Conecte el enrutador a su módem por cable o DSL. Si el enrutador incorpora un cable de red, utilícelo para conectarlo al módem de banda ancha. Asegúrese de introducir el cable en el puerto correcto del enrutador, que suele tener la etiqueta WAN (véase la figura 10.5).

3. Si tiene pensado conectar un ordenador cercano con un cable y no con una conexión inalámbrica, conecte el cable desde el puerto Ethernet del

ordenador a uno de los puertos Ethernet estándar del enrutador. Por lo general, esta conexión utiliza un cable Ethernet estándar.

Figura 10.5.
Introduzca el cable de su módem de banda ancha en el puerto WAN.

> **⚠ ADVERTENCIA:** Es importante que use el tipo de cable correcto para conectar el módem de banda ancha. Hay dos tipos de cable con el mismo aspecto: un cable estándar y un cable cruzado. Si su enrutador no incluye el cable, consulte la documentación y adquiera el modelo adecuado.

4. Conecte el adaptador de energía al enrutador y enciéndalo.

Configurar el enrutador inalámbrico

La mayoría de enrutadores inalámbricos se configura a través de un programa incorporado en el enrutador, programa al que puede acceder desde su navegador Web. El aspecto operativo y funcional del programa de configuración varía de un fabricante a otro pero los parámetros que vamos a analizar son comunes a la mayoría de enrutadores. En este caso las ilustraciones se corresponden al enrutador Wireless-G Broadband de Linksys.

1. Abra el programa de configuración. El enrutador está preconfigurado con una dirección IP que se puede utilizar para acceder al programa de configuración. Consulte la dirección IP en la documentación del enrutador. Abra su navegador Web e introduzca la dirección IP del enrutador en la barra dirección. Accederá a la pantalla de inicio de sesión del programa de configuración de su enrutador (véase la figura 10.6).

Figura 10.6.
Introduzca la dirección IP del enrutador en la barra de dirección de su navegador.

> **📄 NOTA:** Algunos enrutadores incluyen un programa de software en un CD que accede directamente al programa de configuración del enrutador y le guía por el proceso de configuración.

2. Inicie sesión en el programa de configuración por medio de la contraseña indicada en las instrucciones del enrutador. En el caso de este enrutador, la contraseña es `admin` (véase la figura 10.7).

3. A continuación configure su conexión a Internet. Póngase en contacto con su ISP para determinar qué tipo de conexión necesita. Por ejemplo, muchas cuentas DSL utilizan una conexión PPPoE

que requiere un nombre de usuario y una contraseña para que el enrutador pueda conectarse (véase la figura 10.8).

Figura 10.7.
Inicie sesión con la contraseña predeterminada del enrutador.

4. En caso de que sea necesario, introduzca su nombre de usuario y su contraseña, como se indica en la figura 10.9.

5. Seleccione un canal. Los enrutadores pueden funcionar en cualquiera de los 11 canales. Muchos están configurados para utilizar el canal 6, lo que puede provocar que interfieran en sus señales. Si una red próxima interfiere con la suya, pruebe a configurar su enrutador en un canal diferente (véase la figura 10.10).

6. Habilite el servidor DHCP. El servidor DHCP que asigna automáticamente direcciones IP a cada ordenador de la red suele estar habilitado de forma predeterminada. Confírmelo en el programa de configuración (véase la figura 10.11).

7. Algunos ISP sólo permiten conectar un ordenador y, por tanto, una dirección MAC, por cuenta. (Compruébelo con su ISP.) Para evitar esta restricción, los enrutadores le permiten clonar la dirección MAC registrada en su enrutador, de forma que todos los equipos conectados al mismo aparecen ante el ISP como una misma dirección MAC (véase la figura 10.12).

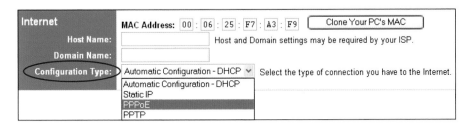

Figura 10.8.
Seleccione el tipo de conexión que requiere su ISP.

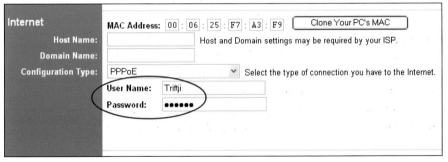

Figura 10.9.
Introduzca su nombre de usuario y contraseña.

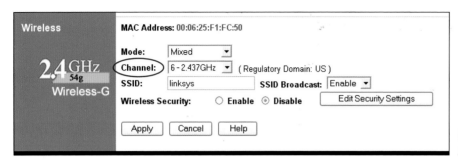

Figura 10.10.
Seleccione el canal.

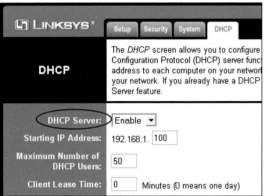

Figura 10.11.
Compruebe que el servidor DHCP está habilitado.

2. Cambie la contraseña de su enrutador. La contraseña predeterminada es una invitación a todo tipo de ataques (véase la figura 10.13).

3. Oculte el SSID. Muchos enrutadores difunden el identificador SSID asignado a la red (véase la figura 10.14). La mayoría de los programas de configuración de enrutadores cuenta con una opción que nos permite desactivar esta función (véase la figura 10.15).

Proteger la red inalámbrica

1. Desactive los archivos compartidos. Ya lo hemos mencionado pero conviene repetirlo: la desactivación de los archivos compartidos es una de las formas más eficaces para alejar a los hacker de nuestros equipos. Encontrará más información al respecto en un capítulo anterior.

4. Habilite el filtro MAC. Para impedir la entrada de hacker en su red debe indicar al enrutador qué ordenadores pueden acceder a la misma. Active el filtro MAC en la sección de seguridad del programa de configuración de su enrutador (véase la figura 10.16). Introduzca la dirección MAC de todos los equipos con acceso a la red. Para determinar la dirección MAC concreta de cada equipo consulte un apartado posterior.

Figura 10.12.
En caso de que sea necesario, habilite la clonación de direcciones MAC.

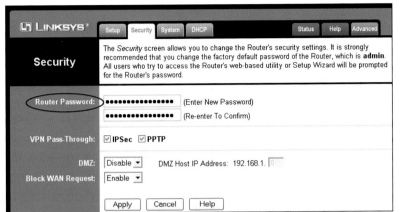

Figura 10.13.
Cambie la contraseña de su enrutador.

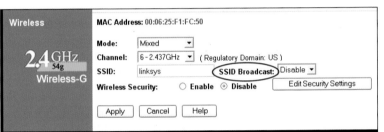

Figura 10.14.
Desactive la difusión SSID en el programa de configuración.

Figura 10.15.
Cambie el nombre de su SSID en el valor predeterminado del fabricante.

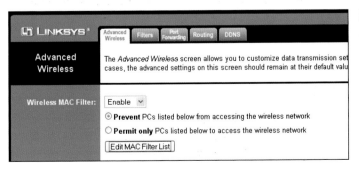

Figura 10.16.
Habilite el filtro MAC para restringir el acceso a su red.

5. Habilite la codificación WPA o WEP. Se trata de tecnologías de codificación que modifican los datos transmitidos por la red para que resulten ininteligibles para los posibles atacantes digitales. WPA es más seguro. WEP es una tecnología más antigua y se puede descifrar con facilidad. Es necesario configurar el enrutador y todos los equipos de la red con una clave que utilizar para modificar los datos. Antes de configurar WEP o WPA, lea atentamente las instrucciones de su enrutador.

6. Active el cortafuegos. La mayoría de los enrutadores inalámbricos incorporan un cortafuegos que evita los ataques de los hacker. Asegúrese de que el cortafuegos está habilitado en el programa de configuración del enrutador.

CONFIGURAR UNA RED INALÁMBRICA EN UN ORDENADOR

La instalación de un adaptador de red inalámbrica en un ordenador de escritorio es muy sencilla. Basta con conectarlo y, en caso de que sea necesario, instalar el software adecuado. Los adaptadores son tarjetas de expansión que se instalan en el interior del PC y que cuentan con una antena que se coloca en la parte trasera, como dispositivo USB conectado a un puerto USB o, en el caso de los ordenadores portátiles, como tarjeta PC que se introduce en la ranura correspondiente de la parte lateral.

NOTA: Si va a instalar un adaptador de red inalámbrica externo con un conector USB, sólo tiene que conectarlo a su ordenador.

Instalar un adaptador de red inalámbrica en el PC

1. Abra la carcasa del ordenador. Siga las instrucciones de seguridad proporcionadas en un capítulo anterior.

2. Extraiga el adaptador de red de la caja y lea las instrucciones de instalación.

3. Introduzca la tarjeta en una ranura PCI libre de su ordenador. Empuje suavemente sobre la parte superior hasta encajar la tarjeta en la ranura y sujétela al chasis con un tornillo.

NOTA: El tornillo que sujeta la tarjeta al chasis debe venir incluido con la tarjeta. En caso contrario, puede adquirirlo en cualquier tienda de informática.

4. Si el adaptador cuenta con una antena externa, sujétela al exterior de la tarjeta.

DETERMINAR LA DIRECCIÓN MAC DE UN ORDENADOR

El adaptador de red de cada ordenador dispone de una dirección alfanumérica exclusiva llamada dirección MAC o de Control de acceso de medios. Puede determinar la dirección MAC concreta de su ordenador si ejecuta la utilidad ipconfig de Windows XP en el mismo.

1. Seleccione Inicio>Ejecutar, introduzca **cmd** en el cuadro de texto y haga clic en **Aceptar**.

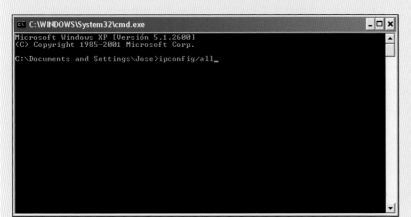

2. Escriba **ipconfig/all** en la ventana de símbolo del sistema.

3. La dirección MAC del ordenador es la cadena de números que aparece tras la entrada dirección física.

Instalar un adaptador de red inalámbrica en Windows XP

Una vez instalado el adaptador de red inalámbrica y encendido el ordenador, puede que Windows XP lo reconozca e instale automáticamente los controladores necesarios. De ser así, aparecerá el icono de red en la esquina inferior derecha de la pantalla para que lo utilice directamente. Sin embargo, el proceso de instalación puede variar entre marcas y modelos, por lo que antes de comenzar, lea atentamente las instrucciones de instalación de su adaptador.

A continuación le indicamos los pasos necesarios para una instalación convencional:

1. Con el nuevo adaptador de red instalado, encienda el ordenador.

2. Windows XP reconocerá el nuevo adaptador y de forma automática ejecutará el **Asistente para hardware nuevo encontrado**. En la pantalla inicial, introduzca el CD de instalación en la unidad de CD-ROM y seleccione **Instalar automáticamente el software (recomendado)**. Haga clic en **Siguiente** (véase la figura 10.17).

3. Se completará el proceso de instalación. Haga clic en **Finalizar** (véase la figura 10.18).

4. Verá el icono de red (🖥️) en la bandeja del sistema, en la esquina inferior derecha de la pantalla.

Figura 10.17.
Seleccione Instalar automáticamente el software (recomendado).

Figura 10.18.
Haga clic en Finalizar para completar la instalación.

5. Haga clic con el botón derecho del ratón sobre el icono y seleccione **Ver redes inalámbricas disponibles**.

 NOTA: Puede que vea más de una red. Es habitual detectar redes inalámbricas próximas.

6. Marque la casilla **Permitir la conexión con la red inalámbrica seleccionada incluso si no es segura** y, tras ello, haga doble clic en el nombre de su red. Se abrirá la pantalla **Estado de Conexiones de red inalámbricas** (véase la figura 10.19).

Figura 10.19.
La pantalla Estado de conexiones de red inalámbricas confirma la calidad de la conexión.

7. Para habilitar la codificación WEP o WPA, haga clic en el botón **Propiedades** y en la ficha **Redes inalámbricas**. Seleccione su red, pulse el botón **Configurar** y siga las instrucciones proporcionadas junto al enrutador y al adaptador.

> Índice Alfabético

> M

> N

> O

> P